MW00834110

EL SILENCIO DEL AYER

Colección Caniquí

Miami, Ediciones Universal, 2009

Tomás Fernández-Travieso

EL SILENCIO DEL AYER

...EDICIONES UNIVERSAL

Primera edición, 2009

EDICIONES UNIVERSAL
P.O. Box 450353 (Shenandoah Station)
Miami, FL 33245-0353. USA
Tel: (305) 642-3234   Fax: (305) 642-7978
e-mail: ediciones@ediciones.com
http://www.ediciones.com

Library of Congress Catalog Card No.: 2009904769
ISBN-10: 1-59388-168-1
ISBN-13: 978-1-59388-168-9

Diseño de la cubierta: Luis García Fresquet

Obra en la cubierta: «En silencio» de
Ernesto Fernández-Travieso, S.J.

Foto del autor en la cubierta posterior: Cecilia la Villa

A Cecilia por su paciencia
y apoyo

A Andhy por su estímulo
y persistencia.

No hay mañana sin ayer.
El tiempo es una vaga metáfora de la vida.
Lo que es, ya es un fue, y el será ahora es.
Sólo queda lo que creemos.

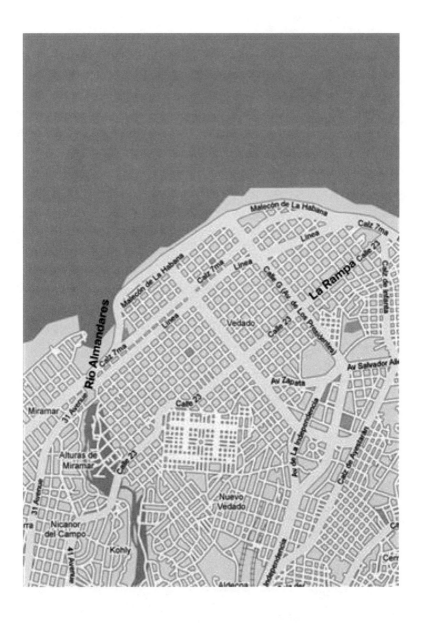

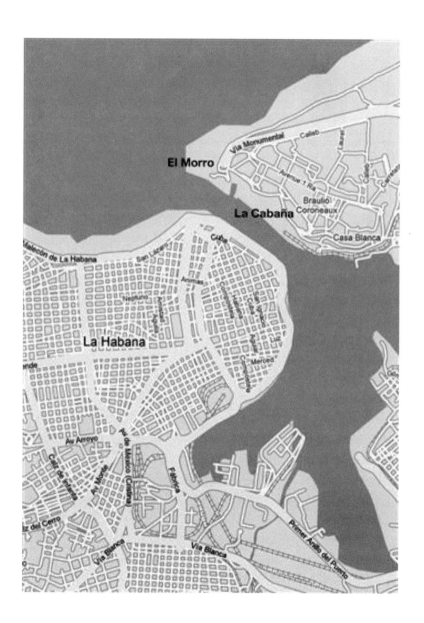

I

El ritmo de unos grillos sonámbulos acompaña el movimiento de unos matorrales. De entre ellos, una sombra se arrastra. Los grillos callan. La sombra se detiene. Desde la oscuridad aparecen dos ojos, fijos, fríos, sin parpadear, enmarcados por un pasamontañas negro. El ritmo de los grillos se reanuda en un concierto anunciando el amanecer. La sombra continúa en movimiento entre la vegetación mojada. La respiración jadeante opaca el sonido de los grillos. La sombra mira su reloj y acelera su movimiento. Se escuchan voces cercanas, la sombra queda inmóvil. En un claro del bosque una casa de dos pisos, despintada, con las ventanas rotas, evidenciaban el abandono de años, se empieza a teñir con los colores del amanecer. Alrededor, unos soldados patrullan aburridos.

«Dos, tres, cuatro»..., contó la sombra.

Boris tenía que completar la misión antes del amanecer. Sacó de una bolsa un paquete de explosivos, preparó el detonador, lo volvió a guardar. La ropa la sentía mojada de rocío y de sudor. Se arrastró hasta el borde del bosque para descansar y vigilar mejor a los guardias.

«No puedo fracasar, toda una vida por esto. No me pueden descubrir».

Repasó mentalmente las instrucciones: en el segundo piso, dentro de una de las habitaciones, encontrar una cajita metálica, cogerla, dejar la carga explosiva y huir, sin matar a nadie y sin que me descubran.

Boris esperó varios minutos eternos, calculó el recorrido de los guardias, la distancia hasta la casa...

El ruido de un motor se acercaba, el resplandor de las luces subía y bajaba con las irregularidades del camino de tierra. Los cuatro soldados fueron al encuentro del vehículo, dejando sin protección el fondo de la casa.

—Al fin llegaron, estamos muertos de hambre y cansados de esperar... Y nada, dijo un guardia.

Alrededor de la casa había un perímetro sin vegetación. Con cinco pasos puedo cruzarlo sin que me vean, pensó Boris, mientras salía de la vegetación protectora.

En un suspiro llegó a la casa sin ser visto. Subió por una tubería de desagüe del techo y entró por una ventana abierta.

«No hay nadie adentro, me dijeron».

La casa estaba completamente a oscuras. En la primera habitación identificó una cama, dos sillones, una mesa que le golpeó en el muslo. Un estrecho pasillo lo condujo a otra habitación: un escritorio, un librero, dos sillas rotas, un armario. Extrajo del bolso una pequeña linterna. No había nada en el armario, ni en el escritorio, ni en los rincones. La habitación se teñía del naranja del amanecer, las voces de los guardias despedían el jeep.

El pasamontaña de grueso tejido aumentaba el sudor del rostro. Decidió regresar a la primera habitación. Buscó

por el suelo, debajo de la cama, destendió la cama y...
nada. Ya iba a amanecer. Los guardias lo descubrirían y
no encontraba nada. En el desespero empujó un sillón y una caja de metal
cayó contra el piso. La agarró, la puso en el bolso, sacó los
explosivos, los colocó debajo de la cama y activó el detonador. En la mano, un pequeño transmisor encendió una
pequeña luz verde. Lo guardó y salió precipitadamente por
la ventana. El sonido del jeep se alejaba.

Con movimientos felinos, Boris se descolgó de la
ventana, saltó hacia el bosque y se escondió dentro de la
vegetación. Pasaron varios segundos, todo normal, los
guardias volvieron a patrullar la casa. Boris sacó el transmisor, apretó el botón, el verde se volvió rojo y una ex-
plosión arrojó llamas por la ventana del segundo piso. Los
guardias corrieron alrededor de la casa sin saber qué hacer. Por fin, uno trajo un extinguidor para apagar el fuego
que caía del segundo piso, en silencio.

Los guardias corrían y gritaban tratando de contener
las llamas. Después de un largo silencio, desde unos matorrales se escucharon unos aplausos acompasados. Tres
militares salieron caminando despacio al ritmo de los
aplausos. Un rayo de sol iluminó las insignias militares. El
de más alta graduación era el coronel Molina, bajito, fuerte, con una prominente barriga. Algunas canas en la cabellera ondulada y negra denunciaban su edad. La piel y los
ojos anunciaban la mezcla de raza: mulato, nieto de chino.

–Boris, Boris, sal. ¿Dónde estás?– gritó una voz con el
tono del que está acostumbrado a mandar.

Ya la prueba había terminado. Molina se la había adelantado antes que al resto del grupo; era un abierto favoritismo que muchos compañeros de Boris criticaban abiertamente.

Boris salió de entre las malezas arrancándose el pasamontañas, empapado en sudor, de la cabeza.

–Espero que tengas la caja,– dijo Molina secamente

Boris, con expresión de triunfo, enarboló la cajita de metal por respuesta.

–Te la ganaste, dijo condescendiente Molina. ¿Quieres saber lo que tiene dentro?

Boris le presentó la caja de metal. Molina con mucho protocolo sacó una llavecita del bolsillo, abrió la caja, sacó un objeto envuelto en una bolsa de tela negra y se la entregó ceremoniosamente.

–Es tuya.

Boris dejó la caja en el suelo, sosteniendo la bolsita, la abrió y sacó una pistola pequeña con un brillante pavón azul. Una estrella roja a cada lado reflejó el sol naciente.

–Sí, Boris, una Makarov igual que la mía.

El joven teniente no sabía qué decir... la Makarov, estrella roja, era una pequeña pistola rusa usada por los oficiales. En Cuba sólo unos pocos la tenían. La de Molina, que usaba siempre, la había ganado por méritos revolucionarios al principio de la revolución.

Boris lo saludó militarmente, sin saber qué contestar, exhibió una sonrisa de satisfacción. Había pasado el curso de guerra de guerrillas, contrainteligencia y hoy terminó el de infiltración y sabotaje. Sus cortos 20 años se reflejaban en su cuerpo delgado y musculoso.

Hijo de un internacionalista, militar cubano que peleó en Angola, tenía gran prestigio entre sus compañeros y superiores, con fama de revolucionario abnegado que no siempre era bien visto por algunos compañeros.

El Coronel lo despidió familiarmente recordándole que se verían en el Club de Oficiales.

II

El chofer de Molina llevó a Boris a una pequeña casa de un piso en la barriada del Vedado. Una cerca bajita de barrotes oxidados enmarcaban un pequeño jardín, abandonado, donde sólo crecían hierbas malas. Carmen y Caridad conversaban animadamente en la cocina. Carmen, delgada, representaba más edad que los 45 que tenía. Llevaba puesto un vestido gastado, su cabellera negra y desarreglada, empezaba a encanecer. Vivía para Boris, hijo único, orgullo y finalidad de vida. Hizo de padre y madre desde que mataron a Ramiro en Angola. Se atormentaba pensando si lo había hecho bien y no encontraba respuesta.

Caridad, la vecina mulata, estaba llena de libras, de sonrisa franca, de cariño hacia Carmen. Pasaba los 50 y le apodaban Cachi. Antes de la revolución trabajaba de cocinera para los Moravia y su madre antes que ella; las consideraban parte de la familia aunque de un estatus social inferior. Compartía con ellos las alegrías y tristezas, los matrimonios y los bautizos, se sentía responsable de criar a los niños, de darles disciplina y cariño que a veces los padres no tenían tiempo de hacerlo. No le interesaba la política. Su mundo cambió con la revolución. Los Moravia se fueron entre lágrimas de despedida. Al principio le

17

escribían frecuentemente, con el tiempo las cartas fueron más escasas y ella abrazó con desespero la revolución, se hizo miliciana, jefa del comité de la revolución y le dieron la casita donde vivía. Ahora su familia era la de Carmen. Velaba por Boris y por Carmen como una gallina celosa de sus pollitos.

–Te traje un poco de manteca.

–¡Ay, qué bueno! Cachi. Tengo que hacerle algo bueno a Boris. ¿Sabes? Hoy tenía una prueba, un ejercicio de esos, no sé qué…, en su unidad… –Hablaba sin mirar, concentrada en una gran bolsa de papel de la que extraía, como un mago, las sorpresas: un paquete de frijoles, otro de arroz…

–No me dice nada, claro que no puede, ni siquiera durmió aquí. Parece que fue algo importante.

Sin esperar respuesta, sigue hablando.

–Lo va a hacer bien. No es porque sea mi hijo, pero es buenísimo en todo. ¿Tú sabes?– La última sorpresa sacada de la bolsa era un bultico de papel encerado.

–Aguanta, mi hermana, dice Cachi. Si esto es con tu hijo, nadie te va a aguantar cuanto tengas nietos.

Caridad, sin oírla, abre el bulto de papel encerado.

–¡Pollo! ¡Medio pollo! ¿De dónde lo sacaste?

Carmen hace un gesto para que no grite. Algún vecino podía oírla.

–Sí, pero no digas nada. Lo conseguí con Fefita, la mujer del carnicero. ¿Te enteraste?– la interrumpió Caridad, preámbulo del chisme. ¡Ya se enteró! Fefita se enteró que el marido anda con una muchachita, una peluíta de esas, tú sabes...

–Pero él es un viejo...

–La peluíta le pintó monos y Fefita está, la pobre, que no se la dispara nadie. La nueva no es de este barrio.

Las interrumpe la puerta de un carro que cierra con fuerza. Carmen deja lo que está haciendo:

–¡Ahí esta! ¡Ya llegó!

Al mismo tiempo se oye la voz de Boris entrando.

–Mamá, llegué, ¡fui el mejor!

La casa se convirtió en un gallinero. Los tres hablando al mismo tiempo, abrazos, besos, felicitaciones.

Al calmarse un poco, Boris les explicó brevemente su última prueba. A Carmen no le interesaban los detalles, solamente le importaba la mirada de orgullo de Boris. El joven teniente, ceremonioso, sacó una medalla del bolsillo, se la pone en broma en el pecho, riéndose.

–Pero eso no es todo, dice con mucho misterio, mientras saca la caja, desenvuelve la tela negra y muestra la pistola:

–Mira, una Makarov, –la exhibe triunfante–. Igual que la del Coronel.

Carmen no lo acompaña en su entusiasmo, le pide que la guarde porque «no me gustan las armas». Mientras Boris comentaba:

–Sólo la usan la gente importante. También, puedo usar el jeep cuando me haga falta, hasta para cosas personales. Te podré llevar a la playa, al campo a buscar comida...y también voy a ganar un poco más...

–Los dejo solos para que compartan tranquilos. Además, Boris, date un baño que hueles a rayo–. Caridad se excusa.

–No, no te vayas. Prepárate que mañana vamos a la playa. Tengo un carro y mañana no tengo academia.

Las mujeres se llenaron de júbilo. Ir a las playas cercanas a La Habana implicaba levantarse de madrugada, ir a la terminal de ómnibus, hacer una larga cola y confiar en abordar el autobús. El trayecto era más de 2 horas.

III

Amanecía y ya los tres llenaban el jeep de paquetes, bolsas, nevera portátil. Cuando tuvieron todo listo, Boris arrancó orgulloso el jeep.

–Bueno, y ¿a dónde vamos?, –preguntó Caridad

–¡A Varadero!, –contestó triunfal Boris.

–Boris, ¿no es muy lejos? Vamos mejor a Guanabo o a Santa María que están más cerca, Varadero está en Matanzas.

–No, mamá, antes de dos horas estaremos bañándonos en el mar. Además tengo el tanque lleno de gasolina.

–El agua debe de estar helada–, comentó Caridad–, pero así y todo me meto, mijo, tu no sabes el tiempo que hace que no me baño en la playa.

El jeep llegó a la Avenida del Puerto, paralela al canal de entrada a la bahía. A la derecha un gran parque con el Palacio Presidencial al fondo. A la izquierda, sobre una elevación recordando el control colonial, las murallas centenarias del Castillo del Morro y la Fortaleza de La Cabaña. Al lado, blanco, con los brazos abiertos bendiciendo la ciudad, se erguía «el Cristo de la Habana», escultura de casi tres pisos de altura que rememoraba la del Corcovado. Boris prefirió bordear la bahía porque a Carmen no le gustaba atravesar por el túnel que desembocaba en La Cabaña; decía que era muy peligroso. El vehículo militar circuló por los muelles que rodeaban el bolsón de la bahía. El olor característico de melazas de una destilería cercana los acompañó por las instalaciones industriales de la bahía, la planta eléctrica y el Castillo de Atarés, arriba en la loma. La refinería de petróleo con su larga chimenea llameando siempre los gases de desperdicio. Se cruzaron con varios camiones que despertaban de las entrañas de los barcos atracados en los muelles. Recorrieron el paso elevado que se transformaba en la «Vía Blanca». Boris aceleró como si fuera un avión que despegaba de la pista. La Vía Blanca es una carretera expreso de cuatro vías, con pocas intersecciones, construída a finales del '50. Une La Habana con Matanzas a lo largo de la costa norte. El viento entraba por las ventanillas abiertas, la lona del techo batía la armazón de hierro. Pronto llegaron a la vista del mar, a la izquierda, que los acompañaría todo el viaje pasando por las playas de Tarará, Santa María, Boca Ciega, Guanabo...

Al cruzar el límite entre La Habana y Matanzas, pararon en un restaurant al lado del gigantesco puente sobre el río Canímar, orgullo de la ingeniería civil cubana que saltaba de una orilla a otra, verde de vegetación.

El viaje continuó bordeando la amplia bahía de Matanzas. El nombre viene de una sangrienta matanza que los españoles perpetraron contra los indios taínos al principio de la conquista. Boris fantaseó con los altos y gordos galeones españoles de velas cuadradas cargados de soldados con coraza y casco, flotando dentro de la bahía. Iban a 100 kilómetros por hora. El viento fragmentaba la conversación y decidieron esperar llegar a Varadero. El silencio en el jeep contrastaba con el ruido del viento.

La península de Icacos es un dedo de tierra que señala hacia las Bahamas entre las bahías de Matanzas y de Cárdenas. A lo largo de su costa norte se extiende la playa de Varadero, famosa por su arena fina y blanca que permite adentrarse cien metros en el estrecho de la Florida, caminando. La Revolución la consideraba su preciosa joya turística. Por ello, hasta había aceptado la cooperación española para construir grandes hoteles que producían dólares. Claro, el turismo nacional estaba restringido; había que pagar en dólares. Las calles estaban llenas de europeos muy blancos –acabados de llegar– o rojos quemados por el sol. El tráfico principal era de los carros alquilados a los turistas.

Tras varios intentos, Boris encontró donde aparcar cerca de la playa. Saltaron hacia la arena y contemplaron el mar como niños que lo ven por primera vez. La playa despierta la ingenuidad infantil que llevamos dentro y que, por pudor, la escondemos. Siempre es la primera vez. Cada ola inaugura una nueva experiencia de descubrimientos y recuerdos. Para Boris, la gratificación de sus esfuerzos y la añoranza de su amada Iraida. Para Carmen, la satisfacción de estar con su hijo, viéndolo quitarse la camisa y los zapatos para sentir la arena. Para Caridad, la alegría de encontrarse en «la mar» con su familia putativa.

Caridad conocía bien Varadero. Todos los veranos venía con los Moravia, y disfrutaba tanto o más que ellos de la frescura del mar y las puestas del sol desde la arena. Desde que ellos se fueron de Cuba, nunca más había vuelto. Ahora había muchos turistas y todo era muy caro y en dólares. Sintió añoranza de aquellos tiempos. Ahora todo era distinto. Desde el carro, paseando por Kawama, buscó la casa de los Moravia y no la identificó. La revolución había unido varias casas elegantes en una especie de moteles baratos, convirtiéndolas en cajas cuadradas, sin belleza arquitectónica. Los jardines habían desaparecido bajo terraplenes polvorientos convertidos en aparcamiento de microbuses de turistas.

A la sombra de un cocotero, Caridad desempacó los bultos que traía, colocó sobre una toalla/mantel las sorpresas que había preparado la noche anterior. Envueltos en una bolsa de papel arrugado les exhibió triunfante sendos «pan con lechón».

–Lo tenía reservado para una ocasión especial, dijo mostrando su blanca dentadura.

Las mujeres se enfrascaron en la preparación del picnic sobre la arena: un mantel improvisado sostenido por cuatro piedras en las esquinas, unas servilletas hacían de platos, una botella de jugo de naranja para compartir...

El joven se alejó del grupo caminando por la arena. La brisa y el sonido de las olas lo envolvieron en nostalgia. Su padre le había descubierto la playa; no recordaba qué edad tenía pero sí que se cayó varias veces caminando por la arena por primera vez. El piso no era plano y duro, sino maleable y blando.

Frecuentemente iban a la playa de Guanabo; la arena no era tan buena pero estaba cerca. Recordó las conchas que le pinchaban la planta de los pies y Ramiro, su padre, lo trepaba a horcajadas sobre sus hombros. Así él cabalgaba sobre el cuello del padre y usaba sus cabellos como riendas.

Había sido el modelo a seguir como hombre, padre y esposo. Le inculcó que la verdad vale más que la mentira, y la honestidad era la meta a seguir a pesar de ser muy difícil de practicar. «El mundo te tienta constantemente», decía.

El sol picaba; la piel sentía el escozor caliente caribeño. Se acercó a la orilla y caminó chapoteando por la zona de nadie donde no se define la tierra y la mar. «A veces gana una, a veces la otra», le decía al padre, explicándole la similitud con la vida. No se sabe dónde empieza ni dónde termina.

La de Ramiro terminó un día. No se había borrado del corazón del niño. Fue dura la noticia. Y más duro fue el convencimiento día a día de que no volvería. Que había quedado huérfano, sin la fortaleza, la disciplina, sin el amor de padre.

El grito de Caridad lo hizo volver. La comida estaba servida.

Recorriendo sus pasos pensó que Carmen también había perdido a su padre de joven. Quizás eso los unió mucho más. Él era ahora el hombre de la casa y tenía que ayudarla.

Pasaron la mañana entrando y saliendo del mar, retozando como muchachos y conversando como adultos sobre el futuro de Boris. Tan pronto regresara Iraida, se casarían, tendrían hijos, empezarían una nueva familia con más oportunidades. Las dos mujeres se regodeaban admirando a Boris. Les sorprendía la estatura y el cuerpo musculoso, su andar..., ya era un hombre. Caridad era parte del triunfo; le parecía ayer cuando tuvo que detener un carro en la calle, parándose enfrente como una loca, para que llevaran a Carmen al hospital a parir. Y cuando Boris, con cuatro años, le preguntaba si el espacio entre sus grandes pechos era el hueco de una herida. Sonreía llena de recuerdos. La muerte de Ramiro fue un duro golpe para ellos. Carmen parecía tan indefensa que decidió adoptarla como su hermana blanca.

Y así, entre playa, recuerdos y planes, les agarró la caída del sol perdiéndose lentamente en el horizonte y tiñendo de múltiples tonalidades de rojo y naranja el firmamento. Caridad no pudo ver el rayo verde.

IV

Un jeep militar circula por las calles de La Habana a gran velocidad, como una hormiga loca. Se detiene frente a un parque. De él sale un hombre flaco, mal afeitado, con ropa que le queda grande. Desde el interior, un brazo sin rostro le alarga un gran sobre amarillo. El jeep se aleja.

El hombre revisa los papeles con curiosidad desconfiada, los vuelve a meter dentro del sobre. Mira alrededor, respira hondo y sonríe brevemente.

«¿Esto es todo?», pensó.

Sebastián experimenta unas sensaciones nuevas que alternaban: euforia-miedo surgían violentos, se disolvían, aparecía otra sensación, se disolvía..., como la espuma de las olas. Tanta energía lo paralizaba.

«¿Y ahora qué? ¿Caminar, correr, cabalgar en un potro, sin montura, ni riendas, respirar hasta explotar, gritar hasta anochecer, apretar hasta sangrar?».

Todo giraba en la mente de Sebastián. Se sintió ajeno, no era su cuerpo, lo que oía, veía, olía... era de otra persona. Estaba viendo una película bien hecha pero, al fin y al cabo, una película. Él todavía estaba viviendo la rutina de la soledad. Día tras día rodeado de gente y completamente solo, sin mañana, con un hoy gris pero con mucho ayer que lo perseguía de día y de noche. Caminó desorientado por el parque, no se acordaba del lugar. Miró alrededor....

Cuántas veces se imaginó una situación semejante, distintas posibilidades, distintos escenarios, estaba preparado para muchos, no para éste.

El que más le gustaba, y lo iba enriqueciendo en sus noches de desvelos hasta hacerlo casi perfecto, era el que llegaba triunfante a un salón grande y desconocido relleno de personas que hablaban, reían, tomaban y comían. Ahí estaba su padre, ya viejo, mayor que su madre. Médico respetable y respetado. Había muerto. ¿De qué? Nunca se supo. «De viejo» como decía la gente.

Su madre estaba en la fiesta y cuando lo viera aparecer lo abrazaría, llena de lágrimas y sonrisas, como la llegada del hijo pródigo que lo aceptan sin preguntarle nada. «Si me preguntan, yo no tengo ganas de contestar, total, ¿a quién le interesa?»

Estaría también su novia, ahora casada con un marido que no quiere y cuando al verlo se complementarían en un abrazo silencioso.

Sus amigos de la infancia que a estas alturas deben ser profesionales exitosos con una familia numerosa..., hijos... ¿Cómo será ser padre?, se preguntó.

Vinieron rodeándolos sus amigos y compañeros de lucha..., que ya no estaban, ya no estaban...

Todo esto bañado de una música triunfal... no había pensado en la música, ¿Qué sería bueno?, «la marcha triunfal de Aída», o mejor, la que usan los ingleses para la coronación, ¿cómo se llama?... «Pompa y Circunstancia», sí esa, bueno..., ya veremos... pensaba Sebastián mientras trataba de orientarse en el parque. Quería ir a su barrio, a su casa. «Parezco una gallina que le han cortado la cabeza», pensó. El claxon de un carro lo hizo saltar de nuevo a la acera. «Come mierda», le gritó el chofer.

Estaba en el mundo real.

Y, ¿ahora qué?, ¿A dónde voy?, ¿Cómo voy?

Regresó a su mente la gallina sin cabeza, se metió las manos en el bolsillo, sacó el sobre que le dio «ése». Adentro había un poco de dinero, un papel con instrucciones como las que dan en el hospital después de una operación: debes hacer, no debes hacer... Dentro del sobre había un papel con una foto suya, su nombre y datos personales.

«Sin esto estoy perdido». Se guardó el sobre, caminó unos pasos por el parque, vio un banco pintado con caca de pájaros y se sentó. «Total este pantalón no es mío».

Miró alrededor y continuó viendo su película. Le rodeaba lo típico de un parque de ciudad, gente caminando apurada, dos niños peleándose por una pelota, algunos carros circulando rápido por las calles, un autobús con las puertas abiertas con gente colgada porque no cabían.

«Ya me habían dicho eso». «Y, ¿ahora qué? Bien, primero acercarme a un lugar conocido..., los autobuses... ¿cuál tomo?..., ¿cuánto cuesta?.... Esa gente me mira, parece que ya no se acostumbra aquí a sentarse en los parques».

Camina en sentido opuesto, no se decide a tomar rumbo, se sienta en un banco, mira alrededor, vuelve a revisar los papeles, guarda todo, se levanta, ve gente en el parque (niños jugando, adultos...), con miedo regresa al banco y se sienta de nuevo. Mira hacia atrás asustado. En una esquina ve un café. Mira hacia ambos lados de la calle. Desde la otra acera recorre el parque con la vista buscando a alguien inexistente. Se tranquiliza.

Entra en un local pequeño con dos o tres mesas con sus sillas, a un costado un mostrador con una caja contadora plateada de adornos barrocos en los costados y teclas de máquina de escribir. Detrás hay varias repisas con algunas botellas vacías. Una gigantesca máquina de hacer café resplandece como una destilería futurista de plata, con torres y tubos. En una de las mesas tres hombres, arrugados, hablan y se ríen. Lo miran. Detrás del mostrador otro viejo, con delantal, limpia aburrido el mostrador. No hay vasos... En una pared, un cartel improvisado con letras irregulares: HAY PAN.

Sebastián se acerca al mostrador y pide:

– Un café, por favor.

Los que están sentados dejan de hablar, lo miran. El hombre del mostrador pregunta sorprendido...

–¿Qué? ¿Quééé?

–Una taza de café, –pronuncia despacio.

Todos ríen.

–No hay.

–Bueno, un pan, –persiste Sebastián señalando el cartel.

El del mostrador le explica condescendiente:

–Hace rato que se acabó. ¿Por qué tú te crees que estamos vacíos?

Desde la mesa observan el diálogo intrigados.

–Bueno, viejo, entonces me da un poco de agua

Vuelven a reír los espectadores.

–La ponen por la noche después de las 8. Vuelve a esa hora (con una sonrisa irónica).

El dependiente cree que es un juego o que el cliente es retrasado mental. Entre risas y comentarios, Sebastián sale del café, oyendo molesto los comentarios: ¡Qué despiste tiene! ¿De qué planeta cayó?

Sebastián ve que una persona se baja de un taxi. Corre para alcanzarlo.

–Taxi, taxi!!!

El taxi sigue su camino y una señora vieja lo mira extrañado. Se siente acosado. Baja la cabeza disculpándose. La mujer murmura algo y sigue su camino.

«Debo tomar un taxi», habla para sí Sebastián, pero «¿Dónde? ¿Cuánto costará?»

Se dirige a un taxi detenido junto a la acera. El chofer afuera habla animadamente con alguien.

–Señor, ¿puede llevarme?

El chofer lo mira extrañado y asustado por el calificativo de «señor».

–Sí, sí, monte compañero, –recalcando el «compañero». –¿A dónde?– agregó automáticamente.

Sebastián no había previsto la pregunta.

–Bueno, a la «Rampa»,– dijo con alegría al comprobar que recordaba algún lugar conocido en La Habana. Se arrellenó en el asiento de atrás cubierto por una vestidura de plástico sucia. Era confortable, se sintió importante, lo llevarían a donde él quisiera ir..., a «la Rampa», la calle de la vida nocturna, negocios, hoteles... que desemboca en el mar. De reojo, se despidió del parque cerciorándose que nadie lo seguía. El taxi recorría un barrio desconocido para él, miraba sin ver: gente caminando, casas despintadas, colas en un café, autobuses repletos... El poco tráfico no impedía que el chofer murmurara todo tipo de insultos del repertorio cubano: ¿estará comiendo mierda? ¡Hijo de yegua! ¡Maricón! ¡Tu madre es una bicicleta! ¡Me cago en tu abuela! ¡El coño de su madre!... Quizás buscaba conversación.

V

Las visiones fueron haciéndose más lentas, identifiqué algunos edificios escondidos detrás de árboles que no conocía, estábamos llegando al Vedado «Aquí está la casa de Josefina..., no, es más adelante. No hay nada nuevo, está igualito».

Pasamos por mi colegio, casi no lo identifico. «¡Qué chiquito se ha puesto, era más grande..., sí, es éste»! Abandonado, despintado, con algunos cristales rotos guardaba recuerdos como en un museo. «*¿Qué es la vida? Un frenesí / ¿Qué es la vida? Una ilusión, / una sombra, una ficción...*». Nos lo hicieron aprender de memoria. Fue la última vez que vi a Valdespino, profesor de literatura, bonachón de sonrisa limpia y tolerante de las diabluras nuestras. Respetado por todos. Escribía en un periódico de La Habana denunciando al dictador Batista. Ese día, cuando terminó la clase, lo vimos salir por el portón de la escuela. Afuera lo esperaba un carro patrullero azul. Dos policías de uniforme azul se acercaron a él, le dijeron algo, y dócilmente, entró en el carro.

Después supimos que lo habían interrogado y torturado; lo dejaron salir y se fue de Cuba. No tuvimos que

hacer el ensayo sobre «La vida es sueño». ¿Acaso Segismundo estaría enamorado o asustado de Rosaura?
El taxi seguía despacio, como paseando, o será que los recuerdos se proyectan en cámara lenta... Algunos semáforos no funcionan y cruza la calle el más fuerte. Pero, da igual, hay pocos carros.

Doblamos y ya estamos en «la Rampa», la calle estaba vacía, quedaban algunos carteles descoloridos: «la Zorra y el Cuervo», «Kashbah»... Me incorporé para verlos mejor. Los vi por fuera y por dentro. Eran los clubs nocturnos, punto de reunión de la juventud en los años 50, donde cantaban y tocaban los mejores artistas de Cuba.

«Y el día se hizo noche, los carteles resplandecientes de bombillos, el sonido de los claxon se mitigaba con la música que salía por las puertas abiertas, gente joven caminando en grupo, buscando el mejor ambiente y la música mejor. Entramos en la Zorra y el Cuervo porque Celia Cruz cantaba en el show. Conseguimos una mesa y, entre tragos y bailes decidimos nuestros destinos. La revolución no iba por el rumbo que todos queríamos. Día a día cambiaba algo que le daba más poder a Fidel. Había que volver a luchar. Mis amigos decidieron irse confiando en que los americanos nos iban a ayudar. Anita también porque sus padres tenían miedo de quedarse. «Yo me quedo... desde adentro se puede hacer más...».

Un frenazo me despertó. Es de día. El chofer grita: «¿eres bobo o comemierda?

Delante se ve todo azul. El mar.

–Para, déjame aquí. Sí, sí, aquí mismo.

El olor del mar entraba a chorros por la ventanilla del taxi. Bajé, sonámbulo, yendo hacia el azul infinito.

VI

El malecón es para los habaneros un balcón al infinito, un recordarles su condición de isleños. Como un cinturón bordea el norte de la ciudad, la avenida de cuatro vías separa las casas de la acera ancha que se convierte en muro, de casi un metro de alto y tanto de ancho, interrumpido frecuentemente por pedestales rematados en pirámides, más ornamentales que funcionales. Hay que subirse de un pequeño salto. Ya arriba, se transforma en el universo que quisieras: lugar de descanso, de romanticismo, de aventuras, de misticismo. Al norte el profundo azul siempre limpio. Las olas rompen en los arrecifes de coral; al sur, el desfile de vehículos y personas por delante de la ciudad. Sobre el muro, una pareja puede arrullarse al lado de unos niños que lo convierten en un castillo feudal trepando por murallas y almenas; un estudiante preparando el próximo examen, un grupo de amigos compartiendo ilusiones, un anciano aliviando su frustración existencial o, simplemente, alguien disfrutando las olas, gaviotas y brisa con la mente en blanco. El malecón es la manera más larga de atravesar la ciudad pero también la más rápida y agradable. Punto de reunión y de liberación espiritual, lugar de reír y llorar, soñar y recordar.

Es lugar sagrado donde en cada puesta de sol se consuma la fusión de los cuatro elementos: fuego, brisa, mar y tierra.

De un salto me senté en el muro del malecón. ¡Al fin, el mar! Olerlo, oírlo, sentirlo. Viene rabioso y se aleja calmado..., como los recuerdos. El largo muro me abrazó cariñosamente como a hijo pródigo ausente tanto tiempo.

Cuando me sacié de intoxicarme, miré alrededor; gente caminando, gente extraña, escuchaba sus conversaciones, conversaciones ajenas, lenguaje distinto...

Respiré profundo varias veces para que la sal me entrara por los poros.

Un niño estaba en la acera a mi lado. No sé de dónde vino, ni cuánto tiempo llevaba pidiéndome algo.

—Cualquier cosa, dame cualquier cosa.

—Muchacho, ya no me queda nada.

—¿Qué haces aquí? ¿Subido ahí? ¿Eres marinero?

—No. ¿Dónde puedo comer algo?

—Trata en la pizzería, por allí, a dos cuadras..., pero, ¿no tienes nada que darme?

Volví la vista a las olas sin contestarle.   .

A la derecha, a lo lejos, el Castillo del Morro, con su torre, me miraba. Al lado, la Fortaleza de La Cabaña, en silencio, respiraba.

VII

En la casita del Vedado Boris termina de bañarse. Carmen le había calentado la tanqueta de agua y se echaba la que quedaba en el fondo. La madre, como parte de su rutina diaria, se levantaba de madrugada a recoger agua. Quedaba a cuatro cuadras de su casa; a esa hora había menos calor. Frente a un hidrante público, la responsable del comité de defensa del barrio distribuía el agua porque venía con más presión desde el acueducto. Ella era la única que tenía la herramienta para abrir el grifo del hidrante; la cola de 10 a 15 mujeres, todas de más de 60 años, tenían dos latas vacías de cinco galones, las llenaban y regresaban a sus casas para que sus familias tuvieran agua cuando se levantaran.

Carmen era la más joven de ese grupo. En la fila se enteraba de los chismes del vecindario, de lo que iban a vender en la bodega ese día, de la posibilidad de cambiar lo que le tocaba por la libreta de abastecimiento por otras cosas. Si le tocaban dos libras de azúcar para el mes, podía cambiarla por una libra de leche en polvo o tres de papas. A veces tenía la oportunidad de comprar huevos y un poco de carne en el mercado negro. Era ilegal, pero todo el mundo lo hacía, y se iba resolviendo el día a día.

Así había sido siempre y así sería también mañana. No había que pensar nada más que en el día de hoy y cada logro era un triunfo. Su mayor placer era darle una sorpresa a Boris con alguna especialidad que sabía que le gustaba. Era su vida, no tenía a nadie más. Había logrado borrar la niñez de su mente. La educación en un colegio de monjas y la formación que recibió se la transmitió a su hijo pero cuidándose de no mencionar la palabra Dios ni religión. Algún comunista importante había dicho que la religión era el opio de los pueblos y los curas eran todos contrarrevolucionarios. Sus padres trabajaban y vivían holgadamente en una casa más amplia, también en el Vedado. Evitaba pasar frente a ella para no tener malos pensamientos. Cuando se casó con Ramiro se integró totalmente a la revolución. Enterró su pasado, era la única posibilidad, y cuidó de que Boris fuera el ejemplo del «hombre nuevo» que predicaba Fidel Castro. Lo había conseguido.

–Te hice pollo frito y un poco de puré…, conseguí dos papas,– le grita Carmen desde la cocina.

–Eres un ángel. Hoy tengo una reunión en el Club de Oficiales, no es fiesta de graduación pero, casi, casi… ¿sabes que por cuestión de seguridad nadie puede saber quién soy?

–Eres Boris, mi hijo. ¿Supiste de Iraida?

–Sí, tengo que contestarle, parece que viene antes. Dice que el frío no hay quien se lo empuje.

–Y, ¿Cuándo me van a dar nietos?

–Tan pronto llegue. Por ser oficial tengo chance que me den un apartamentito en Alamar.

–Es muy lejos. ¿Cuándo te veré? ¿Por qué no se quedan aquí? Ya lo habíamos hablado.

–Sí, antes de que me hicieran oficial. Ahora cambia todo. Tendré más posibilidades, podre ayudar más a la revolución. Necesitamos sangre fresca. Por cierto, ¿es verdad que el Coronel Molina era tan amigo de papá?

A Carmen le extrañó la pregunta.

–¿Y eso ahora?

–No sé, siempre he querido hacértela.

–Molina embulló a tu padre para ir a Angola. Fueron juntos y el Coronel regresó solo.

–¿Tu le gustabas a Molina?

Carmen terminó la conversación con un «no digas boberías».

VIII

El Club de Oficiales de Inteligencia era una mansión en el antiguo barrio de Miramar. Perteneció a una familia de dinero que abandonó Cuba al principio de la revolución. La casa, como la ciudad de La Habana, antes gran dama, ahora convertida en vieja vagabunda vestida de harapos, mantiene erguida su dignidad y elegancia. Un asta con la bandera cubana anuncia que es propiedad del estado.

A Boris le gustaba el Club. Grandes salones, pisos de mármol, puertas gigantescas aunque ahora las habitaciones carecieran de muebles y las paredes de cuadros. Había, sin embargo, sillas y algún que otro escritorio de metal gris y fotografías en las paredes de Fidel, Camilo y el Che.

Atravesó los salones y se dirigió a la terraza. La vista se agrandaba en un patio de piedras, piscina y palmas reales. Al fondo, en una esquina con un gran techo de hojas de palmas sostenido por columnas de troncos barnizados, salía la música.

Joel fue el primero que lo recibió. Se habían conocido cuando entraron en la escuela de oficiales. Era simplón, sin malicia, no muy brillante, pero de una amistad sincera. Confiaba en Joel. En la edad media, hubiera sido monje. Era recto y honesto, incapaz de mentir; decían que se lo había inculcado la abuela que todavía iba a diario a la iglesia.

Para Joel, Boris era su mejor amigo, incondicional hasta el punto de echarse la culpa para salvarlo. No olvidaba sus confesiones íntimas a Boris que habían quedado guardadas en el secreto de la amistad, como cuando había dejado en estado a una amiguita en la «escuela al campo» y por cobardía la obligó a hacerse el aborto. Boris era su modelo de joven revolucionario, del «hombre nuevo»: abnegado, dejar de ser él por los demás, popular entre las muchachas, simpático y buen atleta. Si no fuera por el cariño que le tenía, lo envidiaría.

Detrás venía Vladimir, todo lo opuesto, pícaro, animoso, irreverente hasta el punto de burlarse de la revolución y de sus dirigentes pero sin tocar a Fidel. «Se puede jugar con la cadena, pero no con el mono», decía. Eran del mismo barrio; lo divertía, sobre todo cuando hacía pasar malos ratos a Joel. Era el diablo, el tentador, siempre tenía un proyecto ilegal que brindar.

–Tengo un socio que me consigue ron Havana Club, del que va pa'fuera. ¿No quieren?

Lo ignoraron. Ambos lo felicitaron por sus calificaciones en el ejercicio de sabotaje. Vladimir no se resistió, «Claro, con el «padrino» que tienes todo sale más fácil».

Los tres bajaron los escalones que los separaban del patio. La música llenaba la noche caliente tropical. Fueron hasta un bar improvisado sobre una mesa; había ron y refrescos. Boris se sirvió un refresco.

–Por supuesto, mami no te deja tomar ron, –agregó en tono burlón Vladimir.

Sin hacerle caso, Boris miró alrededor. Había bastante gente, quizás 60 personas, casi todos con el monocromático verde olivo y algunas pinceladas de colores vivos en los vestidos de las novias y esposas de los oficiales.

Joel les comentaba que a Julito, un compañero de ellos, lo habían sacado de la academia, lo habían metido en una granja de pollos porque parece que descubrieron que se carteaba con el padre que estaba afuera, un gusano contrarrevolucionario... «y no podemos tener ningún tipo de relaciones con el enemigo», concluyó muy sarcástico Vladimir.

Arriba, en la terraza, el Coronel Molina era el centro de un animado grupo de cadetes. A Molina le gustaba acudir a estas fiestas, compartir con los cadetes jóvenes que se impresionaban con sus aventuras guerreras.

–Aquí está mi gente,– decía.

Los altos oficiales tenían otro club más sofisticado. Molina aprovechó un descanso de la música para llamar a Boris. Vladimir y Joel, al unísono, le dijeron de reojo:

–Te jodiste.

Boris se dirigió al grupo. El coronel, como de costumbre, hablaba de sus proezas:

–Esta me la gané en Angola, no es de mentirita de las que te dan por méritos revolucionarios, ésta es de verdad por los muchos negros que maté allá, hablaba con la lengua trabada por el alcohol. Ven, ven Boris, para que estos reclutas nuevos te conozcan y sigan tu ejemplo, dijo mientras se incorporaba con trabajo.

Ya de pie, tratando de guardar el equilibrio, abrazó a Boris. Siempre sosteniendo el trago en una mano.

–¿Quieres? Es whisky escocés. Yo tengo mis contactos. Hay sólo para mí..., y para ti... Ah, verdad que tú no bebes. Tienes mucho que aprender todavía. Ven, acompáñame, aquí hay mucha gente.

Molina lo condujo al antiguo comedor de la residencia, ahora vacío, con un escritorio huérfano en el medio.

–Quería felicitarte. Tu padre tiene que estar orgulloso. Tú sabes que te quiero como al hijo que no tengo. Él fue mi amigo..., más que amigo, ¡mi hermano! –La lengua se le trababa, la mano en el hombro de Boris lo ayudaba a mantener el equilibrio.

Boris estimaba al coronel, casi era parte de la familia. Desde niño lo ayudó en la escuela y a entrar en la academia de oficiales. Y, de vez en cuando, mandaba con el chofer cajas de comida que ayudaban en la casa. Con su influencia podía conseguirla y venía muy bien en medio de la escasez. Pero había algo que a su madre no le gustaba porque lo trataba a distancia.

Molina se le acercó al oído y le dijo misteriosamente:

–Tengo planes para ti. La revolución tiene planes para ti.

Boris aprovechó una interrupción para disculparse muy diplomáticamente y regresó con sus amigos que lo esperaban intrigados.

–¿Qué quería?, –preguntó Joel.

Vladimir contestó imitando la voz ronca y los gestos paternalistas del coronel:

–Estoy muy orgulloso, algún día vas a ser como yo...

Todos rieron. La música volvió a sonar con un repicar de bongó. Boris estaba contento, quería divertirse. Bromearon y conversaron de cosas triviales hasta que la ondulante figura de Daisy se acercó a ellos con un «Hola a los tres mosqueteros». El uniforme ajustado aprisionaba sus carnes duras que explotaban en un par de senos color canela. Se acercaba con la sensualidad de una gata en celo, marcando cada paso con un guiño de cadera.

Había entrado en la academia militar por varios motivos: tener una posibilidad de progresar, una posible misión en el extranjero y comprar las cosas que no había en Cuba pero, sobre todo, para buscar marido. Nunca cuestionaba la revolución ni la Unión Soviética. Esta era su única realidad. Disfrutaba la vida y el sexo como una fierecilla salvaje. Boris era una incógnita apasionante que lo hacía más deseable pero..., tenía novia.

Boris hacía esfuerzos por mantener la conversación con sus amigos, la música se sobreponía. El repicar el bongó resonaba en las venas, el cuerpo entero iba siguiendo los compases. Para él, el baile era la exclusiva expresión de la especie humana. Los animales no bailan; en algunas especies los machos se mueven rítmicamente atrayendo a la hembra, sin consumar la identificación bailando, se quedan sólo en el sexo como acto de dominación. El baile es una necesidad de expresión, una liberación que eliminaba las inhibiciones, una catarsis. Una copulación sin ataduras.

–¿Vamos a bailar?– La pregunta autoritaria desconcertó a Daisy.

–Coño, ¡claro que sí! ¿Desde cuándo...? ¿Qué bicho te picó?

Se dirigieron hacia la música. Varios bombillitos colgaban de las vigas del techo de guano. Una trompeta delineaba los contornos de una «guaracha», enmarcada en los colores del bongó y las maracas. El güiro y las claves servían de brisa de fondo. Ambos se sumergieron en el baile olvidando donde estaban.

A él siempre le había gustado la manera irreverente de Daisy, quizás por contraste. Además, le atraían sus facciones que denotaban una mezcla ancestral de razas: ojos negros achinados sobre unos pómulos salientes y brillosos, en un rostro ovalado. El pelo lacio caía en negra cascada sobre el nada femenino uniforme verde olivo.

Seguirla en los pasos del baile no era fácil. Ella inventaba, transformaba, giraba, llevaba el ritmo en su interior. El contacto, a veces fugaz de las manos y de la piel, lo estimulaba. La vibración de los instrumentos se unía al olor del jadeo entrecortado. La vista abarca, con cada vuelta, todo el universo presente y al mismo tiempo queda fija como un espejo en el rostro de la pareja. Es el frotar en el centro de un torbellino de sensaciones, la creación de un pasillo culminaba en la satisfacción, casi orgásmica, de la comunión lograda.

Vladimir y Joel los observaban desde la terraza.

–¡Qué buena pareja hacen esos cabrones!, deberían de empatarse.

–Sí, pero él espera a Iraida.

–¿Tú crees que ella le ha sido fiel?, –dijo Joel.

Vladimir lo miró pensativo y dijo burlón:

–Los rusos huelen a manteca rancia.

La música dio un respiro a los bailadores lo que Daisy aprovechó para preguntarle.

–Todavía la esperas.

–No vuelvas a insistir,– contestó Boris con una sonrisa complaciente.

–La vida es corta y tienes que disfrutar el hoy. ¿Para qué la quieres allá? Tu sabes que me gustas más que...

El bongó la interrumpió con los golpes de un guaguancó.

–¡Ahora sí!, esto es lo mío, exclamó con júbilo. Sacó un pañuelo rojo y como pavorreal exhibiendo sus plumas empezó a bailarle alrededor.

Para bailar el guaguancó, baile de origen africano con movimientos orientales de bailarina exótica, Daisy utilizaba brazos, manos, cintura y la cabeza para expresarse mezclados con la postura y orgullo del baile flamenco, pero más rápido y con más pasión, desenfrenadamente.

Él la seguía más moderado en los movimientos. Veía sus pechos brillantes de perlas de sudor, saltaban, se balanceaban, independientes, libres, se acercaban, se alejaban. Las caderas orbitaban la cintura cada vez más rápido. El pañuelo rojo revoloteaba al compás de los pechos alrededor de sus cabezas. Daisy lo miraba fijamente, retándolo. Los pechos duros frotaban los suyos, los muslos calientes masturbaban los suyos, se acercaban, se alejaban. Boris, al punto de un orgasmo, se detuvo. La música paró, la magia se disolvió entre el jadeo de sus cuerpos.

—¿Qué pasó?,– dijo Daisy intrigada, aún con la cara radiante de disfrute.

—Me quedé sin aire, ven, vamos a descansar.

Recordó fugazmente su primera experiencia. Tenía 13 años. Una prima, tres años mayor que él, lo acosó en el baño de la casa, lo tocó, lo desnudó. Dejó de ser virgen con un sabor agridulce. Lo habían utilizado. Su hombría la había estrenado bajo las burlas de ella por su inexperiencia.

Se prometió mantenerse casto hasta el matrimonio.

IX

A l día siguiente, al bajar la escalinata de la academia, Boris vio el jeep de Molina, inconfundible porque tenía unos espejos retrovisores cromados y unos reflectores en el techo. De pie, junto a la puerta, estaba un cadete que algunas veces le servía de chofer.

–Teniente, dijo formalmente, el coronel quiere verte. Me pidió que te recogiera.

Se dirigieron rumbo a casa de Molina situada en un barrio exclusivo en las afueras de la ciudad. Disfrutaba el viaje, le gustaba pasear en carro, sentir el fresco de la tarde y no hablar, ni pensar. Conocía la casa, muy elegante y lujosa, era de algún ricachón del pasado que se la dieron cuando regresó de Angola. Acabada de pintar, de dos pisos y techos de tejas rojas, le gustaba a Molina, quizás por miedo porque estaba apartada de sus vecinos. Se rumoraba que hacía fiestas «burguesas» y nadie lo veía cuando se bañaba en cueros con muchachitas en la gigantesca piscina. También decían que, al principio de la revolución, había escalado a costa de otros.

«¿Tendrá algo que ver con mi padre?», se preguntó Boris. «¿Le habrá hecho una hijaputada y, por culpabilidad, ahora nos favorece tanto?» Mamá debe saber algo.

La casa estaba rodeada por una cerca alta de bloques de concreto sin pintar. En el portón de la entrada siempre había un guardia con un fusil. Se levantó, le abrió el portón y entraron en el jeep. Una sirvienta lo recibió en la puerta.

—Pase, el coronel lo espera en la piscina, —dijo elegantemente.

Lo condujo por salones con algunos muebles suntuosos del antiguo propietario. Boris estaba impresionado del tamaño de los salones y trataba de minimizar el sonido de las botas sobre el piso de mármol. La piscina era realmente grande con una cascada artificial de rocas. El coronel estaba en traje de baño exhibiendo su voluminosa barriga con un vaso de whisky en la mano. Se incorporó de la silla de extensión contestándole el saludo militar de Boris. En la piscina nadaba una muchacha joven, con bikini, que dejaba ver toda su voluptuosa figura bronceada por el sol. Los presentó agregando algunos comentarios groseros sobre los pechos de la novia. Molina pidió otro vaso de whisky a la sirvienta que le ofreció a Boris. Boris se disculpó.

—Bueno, siéntate y disfruta un poco de la vida. La otra noche no te podía hablar porque no era ni el lugar, ni el momento apropiado. Aquí podemos ser más amplios, pero mejor vamos adentro para que ésta no oiga lo que hablamos, y de un salto se levantó, se envolvió en una bata de felpa con unas iniciales bordadas en el pecho que, obviamente, no eran las de él.

Entraron en una oficina pequeña con relación a la casa, con las paredes cubiertas de estantes de libros. En el centro, un escritorio rococó con una gran silla de piel. Molina se sentó en su butaca y Boris en la silla frente a él.

–Ya creo que estás «maduro», –recalcando la palabra y rió como si fuera un chiste. – La revolución ha seguido tu trayectoria y quiere grandes cosas de ti. –Hizo una pausa.– Claro, yo te he recomendado.

Boris escuchaba impasible la elaborada introducción revolucionaria.

–Te llegó la hora, vas a demostrar lo que vales, te hemos entrenado para eso. Es una misión internacionalista de gran importancia: tu infiltración en territorio enemigo. Intrigado, insinuó una pregunta.

–No, déjame terminar, –Molina lo cortó ásperamente mientras le explicaba a grandes rasgos la misión: Irás en una lancha rápida desde las Bahamas hasta Miami, te darán documentos legales, allí tendrás que eliminar a un traidor que trabajaba para la revolución y el imperialismo lo compró. Sabía mucho y no podemos dejarlo vivo. No puedes fallar. Te acompañará un compañero de la academia que tú escojas. Un oficial te contactará dándote los detalles y los documentos pero tienes que decirle quién será tu compañero.

–¿Cuándo será?

–Todavía no sabemos, quizás el mes que viene. Tenemos que preparar el terreno y aprovechar para traer a uno que está «quemado».

Volvió a sonreír por el chiste y dio por terminada la conversación levantando el brazo con el saludo militar. Lo condujo hasta la puerta riendo de otro chiste.

–Un James Bond cubano, – le dijo despidiéndolo. El Coronel le había dado un electroshock al joven teniente. Sabía y quería que le asignaran una misión para demostrar sus conocimientos y su orgullo revolucionario. Pero tendría que «eliminar» a un traidor. La palabra resonaba en su cabeza, era una palabra muy inocua para significar asesinato. Asesinar a otra persona, a otro cubano. ¿Cómo sería? Lo habían entrenado para todo, incluyendo eliminar... Sería con una cuchillada en el corazón, un tiro en la cabeza, estrangularlo o una bomba en su carro, había muchos métodos pero prefería que fuera de sorpresa, sin verle la cara, sin ver los ojos en el último momento, aunque tenía que decirle de alguna forma el por qué lo hacía. En definitiva, se había convertido en un enemigo y en la guerra no se asesina, sólo se elimina al enemigo. Pero, además, tenía que escoger a un compañero. El coronel sabía que sus mejores amigos eran Vladimir y Joel. Si escogía a uno, señalaba al otro. Y si no escogía a ninguno de los dos significaba no ser suficientemente confiables para una misión. O, ¿sería todo esto una prueba, otra prueba para demostrar su incondicionalidad al gobierno?

X

Me levanté del malecón y volví a caminar por la Rampa. No tenía prisa, no iba a ningún lugar. Pasé por delante de una iglesia, arriba el campanario, silencioso dedo acusador señalando al cielo. La puerta principal estaba cerrada. Una pequeña puerta lateral abierta. Por unos instantes la miré indeciso. No sé por qué entré. La oscuridad me cegó. Siempre el silencio trae paz. La vista recorrió los bancos vacíos... En el primero, junto al altar, había una señora arrodillada. Caminé tratando de silenciar las pisadas. La mirada insolente de los vitrales denunciaba mi intromisión. Los pasos resonaban a eco húmedo. La señora se vira. Es una anciana de más de 70 años, vestida muy pobremente, con un velo que le cubre el pelo canoso despeinado.

Con mucho cuidado me arrodillé delante de un altar lateral, lejos de la señora. En el altar está la imagen de San Sebastián amarrado a un poste, medio desnudo, con el cuerpo atravesado por flechas. Lo miré fijamente. El santo abre la boca y con una voz fuerte grita «Viva Cristo Rey». Vuelve la imagen del santo a quedar inmóvil. Bajé la cabeza y respiré profundo. Al rato levanté los ojos y encontré los de Cristo en la Cruz en el Altar Mayor. Miré de nuevo a San Sebastián, regresé a Cristo... La mente revoloteó siguiendo el camino empedrado de calles antiguas hacia Pilatos, hacia Caifás, hacia la cruz, rodeado de turbas insultantes. «¡Qué alivio sentiría cuando una mano amiga le secó el rostro!». Comprendí el significado de los versos de Santa Teresa:

«No me mueve mi Dios para quererte el cielo que me tienes prometido...»

Giré la cabeza para ver la iglesia, no había nadie. El vacío me aspiró sacando el aire del cuerpo como dentro de una gran pirámide hueca. El tiempo se mezclaba en recuerdos de pesadilla. Hace algunos años tomaron mi cuerpo, lo montaron en una camilla incómoda para comenzar mi largo camino empedrado de calles antiguas. Atravesamos cámaras oscuras, húmedas, con rejas. Había gente que me hablaban alterados, amenazaban, golpeaban. El viento no soplaba. El sol no brillaba.

Yo estaba muerto.

Me pusieron ante los ojos potentes luces que me hacían viajar por las galaxias. Mi cuerpo, con rigidez cadavérica, no participaba del espectáculo.

Pasó un tiempo de silencio absoluto, quizás un minuto, quizás un año, antes que ellos llegaran. Eran pocos pero sabían su oficio. Silenciosos, sin rostro, se inclinaron sobre mí. Mi cuerpo había perdido grasa y agua. Yacía bocarriba, desnudo, indefenso ante ellos: los oía, los veía, los olía.

Uno de ellos oprimió un objeto afilado desde el esternón hasta la ingle trazando una larga línea recta. La piel se abría en un surco blanco, no sangraba. Estaba muerto. El objeto afilado repitió la incisión, profundizándolo hasta llegar donde debía llegar. Manos expertas abrieron la piel y la carne, entraron en mi interior impúdicamente, palparon las vísceras como frutas maduras. Una tras otra fueron arrancando las frutas que alimentaban mi cuerpo. El corazón fue más difícil, le dieron vueltas tras vueltas, retorciéndolo, no quería desprenderse. Por fin, como un tirón, el pecho quedo vacío.

Mi cuerpo era ya una caverna. Vinieron otros que limpiaron mi caverna con ungüentos olorosos. Sin percatarme, un objeto largo y frío se deslizó por una de mis fosas nasales. No me molestaba pero me intrigaba. El objeto tanteó buscando hasta que con un crujido de hueso roto penetró en mi cerebro. El que lo hacía, con ligeros movimientos, fue deshaciendo el cerebro dentro del cráneo. Otro instrumento penetró repitiendo la operación; entre los dos fueron sacando pedazo a pedazo mi cerebro.

Sentí la cabeza ligera, fresca. Me arrojaron sobre una tosca mesa siete días y siete noches, al sol y a la luna, quizás para que mis recuerdos vagaran su eco dentro del cráneo vacío. Pero quedaban pocos, los muertos no recuerdan.

No me habían enseñado esto, ni tan siquiera advertido. No estaba preparado. La religión que me enseñaron no servía aquí. Fue un mundo distinto. Los mismos elementos: el día y la noche; hambre y sed; frío y calor; días y meses... y los años, pero con distintas reglas. Otro orden de cosas. Si me preguntaran diría que se resumía en dos palabras: vulnerabilidad y abandono. Los ojos del Cristo en el Altar Mayor, crucificado y elevado por encima de la vida diaria, miraban hacia abajo. Quizás hacia mí. ¿Cómo se vería el Gólgota desde los ojos de Jesús? Deberían de escribir sobre esto. Si Jesús es hombre y Dios ¿por qué nadie nos explicó cómo se ve?, ¿qué se ve?, desde allá arriba, clavado e impotente.

Al octavo día, regresaron. Me condujeron sobre la camilla a un gran salón lleno de humo de cigarros. Un par de manos callosas llenaron torpemente mi caverna con algodón. La piel se estiró de nuevo, las costillas tomaron su forma acostumbrada. Cosieron los bordes de la larga herida. El cuerpo retomó su apariencia original salvo por un largo costurón del pecho a la ingle.

Manos me cubrieron la piel con una grasa maloliente. Otras manos enrollaron tiras de tela alrededor de mis piernas primero, subiendo con precisión por mi cuerpo hasta cubrir completamente la cabeza.

Mi cuerpo quedó apretado en una sola unidad a la que pertenecían indisolublemente los brazos y las piernas. Las manos quedaron en cruz cubriendo con pudor el vacío donde un día palpitó el corazón. Me habían convertido en una momia.

Transcurrieron tres días y dos noches antes de que me arrojaran de nuevo a la camilla. Salimos del salón lleno de humo, pasamos a través de varias cámaras pequeñas, húmedas y frías, imprecisas, aunque sí recuerdo muy bien la humedad y las rejas. Subimos por rampas, doblamos varias veces antes de sentir el calor del sol.

Afuera. Estoy afuera. Escuché el murmullo de varias personas. Al verme comenzaron a lanzar gemidos. «Deben ser las plañideras». Los llantos se mezclaban con intentos de pronunciar mi nombre. La camilla aceleró el paso. Las plañideras quedaron atrás. «Ya cumplieron su misión; los dioses me aceptaran en el reino de los muertos».

De repente nos detuvimos. Alguien nos detenía el paso, conversaron, discutieron, esperamos de cara al sol. Crujieron rejas y continuamos el camino, ahora descendiendo.

El sol quedó atrás.

El olor húmedo fue penetrando mi caverna llena de algodón mientras bajábamos rampas. La camilla chocó contra las paredes de piedra. Tenían prisa. El descenso frenético llegó a su fin. Me depositaron en el suelo, frías piedras antiguas. Escuché sus pasos alejándose. Los últimos sonidos que resonaron en mi caverna fueron las compuertas de piedra cerrando los pedazos de la pirámide, hoy convertida en «capilla».

Mi cerebro se llenó de un espantoso silencio.

–Hoy no hay Misa.

–Hoy no hay Misa, repitió una voz. Su mano sobre mi hombro me hizo levantar la cabeza.

Era la viejita con velito y pelo blanco.

Atravesé el tiempo en un instante, oí con más claridad lo que decía en voz baja.

–Sí, es domingo, pero ya ve, no hay nadie. El fue a otra iglesia... Está solo... Tiene mucho trabajo. Miré hacia el Cristo del altar.

–¿Por qué nos abandonó? ¿Por qué?, pregunté a la cara arrugada y desdentada.

Una sonrisa comprensiva me volvió a hablar.

–Usted no es de aquí, ¿verdad? No recuerdo su cara. Son tan pocos. Tampoco viene gente de su edad. Pero no se preocupe, no nos ha abandonado. Él vendrá. ¿Quién sabe cuándo?..., como está el transporte en estos días...

La miré desconcertado, pero ella continuaba con una voz suave.

–¿Usted sabe? Es que él está muy viejo. ¿usted me ve a mí? Pues es mucho más viejo que yo.

«Sí, mil veces más viejo que usted, además medio sordo.» Pensé y le dije:

–Es verdad, no oye bien, le decimos el sordo.

La vieja me miró intrigada.

–¿Quiénes?

No respondí.

–No se desaliente, vuelva, que a lo mejor lo encuentra y lo escucha.

La cara arrugada insinuó una sonrisa pícara y se alejó lentamente. Alguien en el fondo empezó a tocar el órgano.

Me levanté, hice automáticamente la señal de la cruz y salí entre las filas de bancos vacíos.

El sol me esperaba.

XI

Abrí el sobre amarillo que me había dado, saqué un papel. El papel indicaba una dirección. Recordaba que era cerca, camino por la calle Infanta. «Antes tenía un tráfico terrible», pensé. Ahora estaba vacía. Descubría detalles arquitectónicos en las fachadas de los edificios a los que antes no le prestaba atención. Parecía un turista venido de otro mundo.

Doblé por una calle buscando el numero 34. En pocos pasos estaba enfrente a una puerta con un cartel que decía «Hotel Maravilla». Un saloncito con pisos de baldosas de dibujos muy elaborados y multicolores, típicos de la Cuba de principios de siglo, me recibió. Cuatro sillones cubanos yacían indolentes sin balancearse. Un hombre dormitaba recostado en un escritorio alto que servía de recepción.

Lo despierto y le doy el papel. El hombre lo lee con poco interés. Hace anotaciones en un libro, y me da una llave amarrada a un pedazo de madera sucio. El hombre me indica unas escaleras, «segundo piso, cuarta puerta a la izquierda». Los escalones de mármol, gastados y sin brillo, tuvieron algún día muy lejano un dejo de elegancia. El cuarto era pequeño, con una ventana que llegaba al piso, una cama, una silla y una mesita completaban el decorado. Me hundí en el colchón vencido y miré alrededor. El techo tenía marcas de humedad, la pintura azul de las paredes, a ratos desprendida, anunciaba un color anterior verde pálido. No había baño, estaba afuera al final del pasillo. Es como vivir una película aburrida de los años 30 que no me interesaba, pero que tenía que terminar. Pasé revista a mis propiedades. Unos papeles amarillentos doblados, el sobre manila con algún dinero cubano, y un anillo de oro con una piedra cuadrada color rojizo cuidadosamente envuelto. Lo había logrado salvar durante mucho tiempo. Lo miro por unos segundos. Recordé a mi amigo Pablito.

Salí del hotelucho, empezaba a anochecer. La brisa mitigaba el calor.

Caminé sin rumbo descubriendo un mundo nuevo, como los niños en la primera visita al zoológico. Todo me resultaba familiarmente distinto. Gente caminando me guían a un gran parque en la esquina de L y 23. Entre árboles sobresalía una cúpula enorme de concreto parecida a una nave espacial.

«Esto es nuevo, aquí había un convento o un hospital de monjas.»

Había mucha gente, de todas las edades, esgrimían unos vasos plásticos rebosantes de helado. Me acerqué a la nave espacial por caminos que serpenteaban por entre flores y césped recién cortado. Farolas modernistas iluminaban el anochecer en el parque. Por un costado, una larga fila entraba en el primer piso del edificio. La recorrí para disipar la incógnita; al final es donde se pagaba un precio único y después escogías el tipo de helado. Recorrí la fila buscando el último pero no llegué al final. Alguien me llamaba. Un hombre en la fila me miraba sonriendo. Volvió a llamarme. La cara me era familiar. Me acerqué y me abrazó efusivamente. Me sentí cohibido, no recordaba su nombre. –¡No puede ser!, –exclama Ramón. –¿Tu? ¿Qué haces aquí? ¿Desde cuándo estás por aquí?

Lo miré con una sonrisa forzada mientras dije amablemente:

–Me alegra verte. ¿Cómo estas? ¿Qué haces?

–Pues me casé. Tengo una hija preciosa. Sí, ¡a mi edad! ¿Te imaginas? Estoy idiota con ella, hace conmigo lo que quiere, tiene 4 años. Y, ¿tú qué?

Mientras el hombre hablaba se me iba aclarando la identidad del desconocido. Claro que me recordaba... me dio mucha alegría encontrar una cara amiga.

–Yo nada, Ramón, muy despistado. Acabo de «aterrizar». No sé ni dónde comer, pedí un café y se rieron de mí.

–Pero, Sebastián, si el café no lo vemos desde hace mucho. Oye, ¿de qué estás disfrazado? ¿Eso es lo que te dieron? Bueno, eso lo arreglamos después.

–¿Qué es esto?, –le pregunté, más tranquilo y hasta alegre.

–¿Ésto? Es Coppelia, la heladería Coppelia, son buenos, mejor dicho, es el único lugar. Ven, ya yo estoy en la cola y te puedo comprar uno.

Desde la cola hubo murmullos de descontento pero Ramón no les hizo caso, continuaba hablando sin parar tratando de poner al día una amistad interrumpida por años. Alrededor, la vida cotidiana caminaba con los pasos diminutos de niños disfrutando el helado, adolescentes abrazados dando los primeros pasos en el juego del amor, hombres y mujeres con pasos angustiados por la búsqueda de algo para cocinar esa noche.

El helado me supo a algo fascinante, frío, dulce, estimulante... la memoria revivía experiencias pasadas.

–Oye, ¡está riquísimo!

–Claro, ¿desde cuándo no lo probabas? Bueno, ¿Por qué no vienes a casa? Así conoces a mi mujer y a mi niña. No, no molestas, es aquí cerca.

Logró convencerme y ambos terminamos los helados caminando por las calles de La Habana.

–Aquí vivo, –dijo muy orgulloso Ramón, mostrando unas estrechas escaleras.

Subimos al pequeño apartamento de un cuarto.

–Yamilís, llegué. Traigo a un viejo amigo de la «universidad».

Yamilís, mucho más joven que él, le alargó la mano, junto a una honesta sonrisa.

–No lo conocía.

–Claro, si acaba de llegar, –dijo Ramón guiñando un ojo.– Bueno, siéntate.

En cinco minutos contó cómo la había conocido, el apartamentito era de ella, su familia estaba en España, ella no había querido irse porque estaba casada, el marido la dejó, y ahora no podía salir de Cuba. Tenían una hija de cinco años.

—Ya llevo 6 años afuera y me he encaminado gracias a ella. Trabajo en un almacén de comida y ahí voy resolviendo. Tú sabes, siempre puedo cambiar algo y aquí no nos falta la comida, gracias a Dios.

En una pared estaba una litografía de la Última Cena de da Vinci; al lado la foto de una niña. La conversación fue cambiando de temas como en un juego de ping-pong. Yamilís nos trajo agua y un poco de café recalentado y rió de las inconveniencias de su adaptación a la vida. Desde el primer momento los tres nos encontramos afines, con la misma química.

XII

No dormí bien. El cuarto del hotelucho no tenía ventilación. Me puse la ropa que me prestó Ramón y salí. En la esquina, una larga cola de personas esperaba el autobús. No me atreví a montar, se me había olvidado preguntar cuánto costaba y cómo se pagaba. Del bolsillo saqué un papel doblado varias veces, miré la dirección, recordé que era un poco lejos, pero preferí ir caminando. En ese momento llegó un autobús, paró, estaba lleno. La gente de la cola se abalanzó hacia la puerta. Gritaban, empujaban, todos querían subir de a como fuera. Sólo hacía falta poner la punta del zapato en el estribo y agarrarse de cualquier cosa. El autobús aceleró, no podía cerrar la puerta, había un racimo de personas aguantadas de una mano por fuera del vehículo.

«Si pasan cerca de otro carro, los aplastan», pensé sin emoción mientras continuaba el camino.

El barrio del Vedado no había cambiado, las casas eran las mismas, más viejas, pero las mismas. «Sin embargo la gente parecía de otro mundo, son distintas. ¿De dónde habrán venido?», analizaba, ajeno, como en un cine.

Mis pasos me llevaron a una casita de un piso, con un jardín pequeño al frente. Subí los cinco escalones hasta el portal y dudé antes de tocar la puerta.

Un joven sin camisa abrió mientras se terminaba de abrochar el pantalón. Medio dormido, preguntó:

–¿Si?

–¿Aquí vive Carmen Martínez?

–Sí, es mi madre, pero no está. ¿puedo ayudarlo?

Me sentí confundido y dije sin pensar:

–La conocí cuando era joven.

–Sí, pase por favor, tengo un poco de café hecho, se lo voy a calentar.

–Gracias. ¿Cómo te llamas?

–Boris.

Mientras Boris iba a la cocina, pasé la vista por el interior de la casa. La sala y el comedor pequeños, con muebles pseudocoloniales de rejilla, algunas rotas, camufladas con cojines gastados. Las paredes exhibían fotos gastadas: Fidel delante de un cartel de «Patria o Muerte», otra de un militar con grados de teniente, la tercera de una pareja vestida de novios. Sobre una mesita en el medio de la sala, un mantelito bordado y adornos baratos de porcelana. Un marco con una foto de un niño con sonrisa ingenua.

Después de la sala, el comedor, con un mantel plástico sobre la mesa y flores artificiales. Al lado, la cocina abierta por un lado a un patio alargado, paralelo al pasillo que conduce a los cuartos. Al final, el baño.

Boris trajo una tacita de café con el asa rota.

–Y, ¿cómo se llama?

–Sebastián. ¿eres militar, no?

–Sí, igual que mi padre,– señalando la foto. –Ya yo soy teniente también. Él murió en Angola, era internacionalista. Murió por la patria, igual que mi abuelo, dijo orgulloso.

–¿No tienes foto de él?, –pregunté casualmente.

–No, creo que mamá tiene una en su cuarto. Boris se calla un segundo y cuando va a seguir hablando, Sebastián lo interrumpe.

–¿Qué pasa?

–No, nada, abuelo también murió por la patria. Lo llevamos en la sangre.

Boris sigue hablando de su padre, de la guerra de Angola, de tácticas militares. Lo miro intrigado...tiene una mirada limpia, mantiene la vista, es apasionado, no tiene trastienda. ¿Cómo habrá sobrevivido?, pensé sin prestar atención a la historia.

–Y, usted ¿es militar? Nunca lo había visto por aquí. ¿De dónde es? ¿De dónde conoce a mi madre?, me preguntó,

–Despacio, despacio. Pareces una ametralladora. Me gustaba mucho todo lo militar, –contesté animado.– ¿Te gusta la historia?

–Me encanta.

–Máximo Gómez.

–Claro.

–¿Sabías que en las escuelas militares de todo el mundo se estudia su campaña en La Habana durante la Guerra de Independencia y que la Batalla de «las Guásimas» es una obra de arte militar? Imagínate una carga de machetes.

100 o 200 caballos al galope. Los jinetes dando gritos con el machete en alto, muchos negros acabados de liberar de la esclavitud, desnudos, envueltos en una nube de polvo que impedía ver si eran 100 o 1,000, cargando sobre un regimiento español de 2000 hombres con sus uniformes blancos, formados en cuadros, armados por modernos fusiles Máuser que apenas aprendían a usar. Es conocido que un buen tajo de machete cortaba limpiamente los cañones de los fusiles. Tiene que haber sido aterrador, –continué hablando con pasión.– Durante la guerra de Independencia llegó a haber en Cuba más de 300,000 soldados españoles y los mambises no pasaron nunca de unos 30,000 pero luchaban por su patria…, luchaban por convicción.

–No, no sabía.

–Y, Napoleón, como militar, fue un genio. En Austerlitz…, –continué hablándole de las tácticas usadas por Napoleón.

Boris no quería interrumpir y escuchaba la descripción tan precisa como si hubiera estado en Waterloo.

Un reloj suena unas campanadas y ambos callamos unos segundos interminables.

–Tu mamá no llega…,– rompo el silencio.

–Y yo tengo que irme. ¿A dónde va?, –dijo levantándose ágil.

–No, no te preocupes. Voy a caminar un rato por el malecón.

–Me es camino. Lo acompaño. Perdóneme, voy a cambiarme.

Boris se dirigió a su cuarto intrigado con el personaje. Hay algo en sus ojos....

–¿Vamos?, –pregunta Boris

–Vamos.

Salen de la casa caminando con paso rápido. De repente, Boris me pregunta:

–¿Por qué?

–¿Por qué, qué?

–¿El malecón?

–Me gusta el mar, ver las olas. Es agradable, como compartir con un buen amigo.

Boris no comprende y siguen caminando.

–¿Vive por ahí?

–Cerca, respondo seco. Hace tiempo que no venía por acá.

–¿Por acá? ¿Estaba en el interior?

–Sí.

–¿En qué trabaja?

Me demoré en contestarle, quiero conocer más al muchacho, temo romper la comunicación que hemos establecido.

–He hecho de todo; un viejo ha tenido que hacer de todo.

–Usted no es viejo, usted no es como los demás.

–¿Cómo son los viejos? ¿malhumorados, cínicos, mentirosos?

A Boris se le ilumina la cara.

–Sí, sí, eso es.

Continuamos caminando hacia el malecón, el aire de mar me saluda con su aliento amistoso. Acelero el paso. Boris se da cuenta y me dice:

—¿Usted vive en el mar?

La pregunta me coge desprevenido.

—Sí, porque ahora está caminando más rápido, como los caballos llegando a la caballeriza.

A continuación me lanza una andanada de preguntas:

—¿Qué edad tiene? ¿Dónde conoció a mamá? ¿Por qué vino a La Habana? ¿Tiene hijos? ¿Peleó contra Batista? ¿Conoció a mi abuelo?

—Hey, hey, más despacio. ¿Por qué me tratas de usted? Dime tú, me haces sentir más joven.

—Está bien. Tú sabes, no sé... Ya no se usa el «usted» pero de repente me inspiró llamarte de usted.

—¿Por viejo? —Reimos los dos.

Boris miró el reloj. No cruzamos la calle. Del otro lado el muro del malecón llamaba con el sonido de las olas rompiendo en la roca.

—Ya llegamos. Tengo que seguir para mi clase. ¿Nos vemos?

—Sí, tengo que ver a tu madre. ¿A qué hora estará en la casa?

—Ella siempre está resolviendo, buscando algo para comer. Me malcría mucho, a veces creo que demasiado. Ahora está cuidando al niño de una amiga. No sé cuándo vendrá.

Se dan la mano.

XIII

El joven teniente lo ve cruzar la calle, lo mira intrigado, hay algo... y continúa su rumbo. Cortó camino entre las calles estrechas y edificios que, desde principios de la República, fueron mansiones lujosas formadas de estilo ecléctico, barroco, clásico, caribeño. Ahora, carcomidos por el salitre de las olas como un rostro atacado por la viruela, servían de viviendas multifamiliares, sub-divididas por sus nuevos residentes.

Sebastián... era una incógnita. Es misterioso. ¿De dónde salió? ¿Será una prueba puesta por la academia? Había oído de otros casos en que el gobierno los probaba tentándolos para comprobar su fidelidad revolucionaria. Él no tenía problemas. Su niñez y adolescencia habían sido suaves, sin contra-tiempos.

«Claro que mamá es excepcional», pensó en alta voz.

Ahora él quería formar un hogar. Su mente viajó a la niñez retrocediendo hasta la escuela primaria cuando él y su único amor, Iraida, eran «pioneritos» y juraron defender la revolución.

«La pañoleta de pioneros nos sirvió para limpiarnos el primer beso», sonrió mientras recordaba.

Acababan de darle la noticia de la muerte de su padre. Durante el almuerzo, se le había acercado, por primera vez y la encontró linda, conversaron un rato, cuando se fue le besó los labios. Fue una sensación nueva, única, muy agradable. El tiempo fue aumentando la relación, hablaban de todo, hasta las tonterías; estudiaron juntos, bailaban juntos y juntos hacían prácticas militares. Crecían entretejiendo las experiencias de vida.

Ella llevaba muchos meses en Rusia y el amor continuaba por inercia. Muchas cartas no llegaban, quizás por motivos de seguridad. «No puede detallarme lo que está estudiando ni que hace con su tiempo libre; sin embargo, últimamente hablaba más de ella que de los dos.» A veces le molestaban los comentarios que hacían sus amigos sobre su fidelidad a Iraida. Muchas veces tenía que reafirmarla. Sin embargo envidiaba a sus compañeros cuando los veía disfrutando en una fiesta y él se comportaba como un viejo.

«¿Y si Iraida ha encontrado otro amor por allá?», se preguntó.

Apretó el paso y subió la escalinata de la escuela de oficiales mientras la pregunta seguía martillándole en la cabeza. Caminó por varios pasillos llenos de gente con uniforme verde olivo. Miró el suyo con orgullo. Sus botas resonaban sobre las baldosas grises. Saludó a varios compañeros y se sentó en su pupitre entre Vladimir y Daisy quien lo recibió con una sonrisa.

Daisy se iluminaba ante la presencia de Boris; todo su cuerpo hervía con un deseo de querer vivir que no entendía. No era como los demás, la trataba de una manera especial. Varias veces se había preguntando si sería amor, o si lo que ella quería era sólo sexo. Claro que quería llevárselo a la cama, pero más que eso le preocupaba la felicidad de él, que todo le saliera bien. No sentía ese bienestar con los demás aunque intuía que Boris nunca dejaría a Iraida.

Boris le devolvió la sonrisa y se concentró en la clase. Hoy continuaba el curso de formación de cuadros. El maestro, un burócrata de espejuelitos y poco pelo, con ínfulas de mariscal, llevaba la barbita a lo Lenin, al cual admiraba como a Dios. Al principio sólo fue una reafirmación de lo aprendido anteriormente, repetir y repetir, para que no se olvide.

«Repetir una mentira la convierte en verdad», dice el refrán.

–Somos la vanguardia del proletariado, nuestra labor es protegerla con firmeza, la constancia y la pureza de nuestro partido. Para eso tenemos que dirigir y organizar el nuevo orden, ser maestros, guías y cabeza de todos los trabajadores, –recitaba el profesor cansonamente.

Vladimir tomaba apuntes mezclados con dibujitos de estrellas, soles y lunas.

–Lo principal es la intransigencia frente al capitalismo. Tenemos que oponernos encarnizadamente a toda tentativa de adaptarnos al capitalismo. Por eso el revisionismo es el primer enemigo porque es el acomodamiento. Eso sí es la muerte.

Esto último lo dijo más animadamente y despertó a Daisy de su abstracción, quien miraba al profesor como «pescado en tarima»: con los ojos bien abiertos pero sin ver.

–Y como decía Lenin –dijo triunfante– la centralización incondicional, –y repitió, –incondicional y la más severa disciplina del proletariado son una de las condiciones fundamentales para el triunfo sobre la burguesía.

Boris prestaba atención aunque Daisy, ahora más despierta, le tocaba la rodilla con la suya y le lanzaba miradas provocativas con la ilusión de ser correspondida.

–La célula es un centro de formación: un centro de acción y agilización política, agitación y propaganda; un centro de difusión de la idea.

Él le apartaba la pierna un poco molesto.

–Nuestra propaganda no es una propaganda en abstracto, desligada de la lucha y de la vida de las masas populares... No, no lo es, –hizo una pausa para captar la atención de los alumnos. –Es para la acción, al servicio de la acción. Esta dirigida a llevar acción al Partido, a las grandes masas populares. Es un medio de educación política.

Por la mente de Boris pasaron rápido los pensamientos que le preocupaban. Se detuvo en Iraida..., la lejanía los había separado, ya no era igual.

El conferencista lo atrajo a la clase de nuevo.

–No se agita para reivindicar, pero se reivindica para agitar.

Daisy lo miró e intentó una sonrisa. Él cambió la vista hacia los apuntes de Vladimir, que ahora jugaba a los ceritos.

–El proceso se desenvuelve, además, dentro de una doble metodología: una constructiva, cuando estamos en el poder, –agregó con una sonrisita irónica que no le gustó a Boris. –Y una destructiva, cuando queremos el poder. El profesor ahora se dirigió a la pizarra para explicar las cuatro etapas. Boris captaba mejor cuando visualizaba la explicación:

–El método destructivo comprende cuatro momentos:
–Dislocación
–Intimidación
–Desmoralización
–Eliminación

– Presten atención porque van a tener que aplicarlo mañana en una práctica.

–La Dislocación: dislocar es hacer operar en falso una de las estructuras sociales o una organización social. Exactamente como ocurre con un hueso dislocado, no es un hueso quebrado, ¡no, no! es un hueso salido del sitio donde debe estar para funcionar bien. ¿Entienden? Salido del sitio.

–La Intimidación: Es la inducción al miedo. Sumamente fácil, la persona contagia su miedo. Por ejemplo: si yo tengo miedo, no quiero tenerlo solo. Inmediatamente busco a alguien para compartir mi miedo y no quedarme sólo con él. Ejemplo de miedo inducido: campaña de rumores, creación de reflejos condicionados.

–La Desmoralización: es la consecuencia de estas dos etapas. O sea, el proceso mediante el cual las fuerzas morales y la resistencia de un individuo frente a un hecho, cede y se quiebra.

–Cuando el hombre se desmoraliza, la creencia en sus valores empieza a ceder. Esto implica que baja la guardia; no es capaz de emprender acción alguna. A veces no hace falta matar a un hombre, basta con desmoralizarlo. Por ejemplo: por miedo al chantaje. Un hombre desmoralizado esta eliminado en el pleno sentido de la palabra.

Y ya entramos en la última etapa o momento:

–La Eliminación: Se trata, bien sea de la eliminación física de la persona, bien sea de la eliminación de su actuación externa. Se le imposibilita para ejercer su acción. Todo el mundo quiere a alguien o a algo, familia, posición, aspiraciones, ¿no? Si se le amenaza cualquiera de ellas, lo tendremos eliminado o, al menos, neutralizado. También todo el mundo tiene un secreto, un defecto, un desliz que no puede permitir que se descubra; si lo averiguamos, también quedaría anulado. Esto último lo dijo con una sonrisita cínica.

La clase resultaba interesante. Esquemas y ejemplos ilustraban la manera de desarticular una asamblea, una reunión, una conferencia.

–Sólo tres, sólo tres operativos pueden crear el caos en cualquier reunión: política, religiosa, social…, –decía el maestro con mucho entusiasmo. –Es importante la colocación…, atrás y a los lados, nunca al frente donde los puedan señalar o identificar, poco a poco van soltando pequeñas consignas usando las mismas palabras del conferencista, en un tono de burla, de duda o… irónicos. Es importante la reacción de los que les rodean. Si no son receptivos, poco a poco caminar a otra área o se sientan en otro grupo. Lo más importante es camuflarse, vestirse, moverse, hablar, como los asistentes, para pasar como uno de ellos. Y recuerden lo que siempre les digo: la consigna es como un cuchillo afilado, se usa de ambas maneras, para comer y para matar... La clase terminó. Al día siguiente tenían que ponerlo en práctica durante una verdadera asamblea. Boris estaba entusiasmado. Le gustaba la actividad y no estar sentado escuchando. Lo comentó con sus compañeros y se disculpó con ellos. Iban a reunirse a tomar cerveza.

–Tengo que regresar a casa.

–Sí, sí, su mamita no lo deja tomar, –dijo uno de ellos.

–No seas comemierda, –dijo Boris malhumorado, y se fue caminando.

XIV

Algo le hizo desviarse una cuadra y se encontró caminando por el malecón. Por primera vez oía con curiosidad el sonido de las olas rompiendo... Cada una suena distinta, a pesar de que son las mismas olas, de la misma agua..., aunque prefería las de la playa, divagó mientras caminaba más lento que de costumbre, como disfrutando el paseo.

Boris estaba orgulloso, había escalado desde la infancia todos los escalones de la sociedad militarista: pionero, Camilito, servicio militar, escuela de oficiales... La revolución mundial era la solución del mundo, eliminar las desigualdades, destruir al imperialismo. Le llenaba la ideología, la doctrina, aunque muchas veces le molestaba profundamente la corrupción, el despilfarro, la hipocresía que vivía a su alrededor. «Si todos fueran como yo», pensó.

En el malecón estaban los muchachitos de siempre con pantalones cortados, simulando trajes de baño, tirándose del muro hacia las olas sin importarles las rocas afiladas que podían hacerlos trizas. «Desde chiquito aprenden». En el muro había sentada mucha gente, mirando el mar, añorando... o simplemente refrescándose con la suave brisa bajo el sol del mediodía.

A lo lejos distinguió a Sebastián, o como se llame, el viejo amigo de su madre, mirando distraído como las olas venían, rompían, se iban dejando la espuma, correteando entre las rocas.

–¡Que coincidencia! Nos volvemos a encontrar. Hace un día bueno, dijo sin acordarse del nombre.

Sebastián se viró asustado.

–Ah, muchacho, ¿acabaste las clases?

–Sí, voy para la casa. Tengo un tiempito libre ahora.

Se sentó junto a Sebastián en el duro concreto del muro, rasposo por años de intemperie. Sacó una cajetilla de cigarros y le ofreció uno a Sebastián.

–Hace tiempo que no fumo. Me voy a marear.

Boris insistió. Sacó una fosforera Zippo con la que intentó varias veces encender pero la brisa la apagó persistentemente. Sebastián le enseñó un truquito para que la llama no se apagara. Boris sonrió.

–Más sabe el diablo por viejo que por diablo, ¿no?

–Bueno, pero sigo sin saber nada de usted.

–¿Qué quieres saber?

– ¡Todo!

Sebastián aspiró el cigarrillo deleitándose. Observó cómo subía el humo suavemente, sin apuro. Aspiró nuevamente y sintió un ligero mareo pero disfrutaba el compartir el humo que crea una comunicación especial. El joven continuó su asedio de preguntas. A Sebastián le gustaba el ímpetu de Boris por conocer.

–¿Dónde la conociste? ¿Qué haces? ¿Qué paso?, ¿Luchaste contra la dictadura?

Sebastián no le contestó de inmediato. Miró hacia el mar y aspiró de nuevo el humo del cigarrillo.

–La dictadura…, sí, la dictadura. Y más que eso, el totalitarismo que trata hasta de ordenarte tus pensamientos. Yo pertenecía a un grupo en el que todos éramos estudiantes, como tú, de bachillerato y de la universidad.

–El Directorio.

Sebastián se sorprende y recuerda el Directorio 13 de Marzo que atacó el Palacio Presidencial para ajusticiar al dictador Batista, y no corrige a Boris.

–Bueno, sí, el Directorio.

–Y, ¿Qué hacían? ¿Qué hicieron?

–Queríamos salir del… dictador…, volver a la república donde todos tuviéramos oportunidad y libertad.

–Y lo logramos con la revolución, –afirmó Boris.

Sebastián, sin prestarle atención, continuaba hablando sobre la lucha, los peligros, los ideales.

–¿Ha matado a alguien?, –preguntó de repente Boris.

Sebastián pensó un momento. Miró al mar y le contestó:

–Aprende muchacho, esa pregunta no tiene respuesta. Siempre quedas como un mentiroso, depende de que el que te la hace esté convencido de una cosa o de la otra.

Boris le disparó otra pregunta que lo atormentaba.

–¿Y no tuviste miedo nunca?

–La primera vez que lo sentí fue cuando tuvimos que recoger un carro. A un compañero nuestro lo había parado la policía. Él llevaba armas para la sublevación y no paró. Acribillaron el carro a balazos, lo hirieron pero pudo abandonar el auto y escaparse. Había que recuperarlo porque estaba a nombre de su padre y si lo cogían, la familia entera iba presa. Virgilio y yo teníamos que recogerlo muy temprano en la mañana. Boris, extrañado, pregunta quién era Virgilio.

—Era mi jefe y amigo. Estaba en la universidad, yo en bachillerato. Yo iba a manejar. Nos dejaron en la esquina. En el otro carro iban otros dos estudiantes armados para protegernos en caso de que el auto baleado estuviera vigilado. En la otra esquina había una patrulla llena de policías. Quise creer que estaban ahí tomando café. Cruzamos muy tranquilos la calle, con un periódico cada uno en la mano envolviendo la pistola. Además, él siempre llevaba una granada de mano escondida en la camisa. Yo estaba muerto de miedo y de repente Virgilio me dijo: «Sebastián, yo no sé tú pero yo estoy cagado de miedo».

Yo no sé si era verdad o si lo dijo para tranquilizarme. Y, así fue, porque si él tenía miedo y era el más valiente del grupo, yo también podía tenerlo. Me tranquilicé y se me fue el miedo.

Sebastián dejó de hablar. Boris lleno de ansiedad, preguntó:

—Y, ¿qué pasó? ¿Qué pasó?

—Bueno, el carro estaba lleno de huecos de los tiros. Abrimos las puertas. El cristal estaba hecho pedazos sobre el asiento, puse el periódico sobre la sangre seca, porque había sangre por todos lados. Los policías nos miraban. Por fin arrancó con trabajo fallando el motor porque varios tiros habían entrado en los pistones; después nos enteramos. El carro casi no caminaba. Salimos muy despacio sin localizar a nuestros amigos. Pasamos por delante de la patrulla. Virgilio tenía el brazo sobre mi asiento con la pistola detrás de mi cabeza, apuntándolos. Uno de los guardias vio el hueco de bala en la puerta, fue a hacer un gesto para coger su ametralladora, levantó la vista y vio el cañón de la pistola de Virgilio. Yo creí que se había acabado todo. Sin embargo, el guardia se acobardó, se viró de espaldas y no dijo ni hizo nada. El carro de nuestra escolta se situó detrás y nos acompañó. Esa noche le pusimos varias libras de explosivos. Lo llevamos al parque de la Universidad y lo explotamos en la madrugada.

Boris, muy atento, contenía la respiración.

–Y, ¿dónde está Virgilio?

–Un poco después lo apresaron y lo mataron.

Hubo un largo y profundo silencio de azul mar, que Boris rompió.

–Se me hizo tarde, ¿Nos vemos?

XV

Quedé pensativo. ¿Quién soy? Ni yo mismo lo sé. Ante esa pregunta de Boris, ¿qué puedo contestar? Ensayé varias definiciones en las que, diciendo la verdad, no asustaran al muchacho. Le diría algo así: «Soy el menor de tres hermanos, todos varones. Mi padre fue médico. Mi niñez fue alegre y sana, sin preocupaciones. Tuve muchos amigos y buenos compañeros de colegio. Creo que aún los conservo. Nos apartamos hace mucho tiempo pero sé que siguen siendo buenos amigos. Pensaba casarme cuando terminara de estudiar, quería ser arquitecto. Nunca lo pude ser.

«Sólo sé que cada vez que se altera el curso de la historia, hay ganadores y perdedores. Yo debo estar clasificado entre los perdedores pero creo que he ganado mucho en humanidad. Hay situaciones difíciles de explicar y más difíciles de entender. Ésta es una de ellas. Cuando se interrumpe el ritmo normal de la vida, se suspenden las ilusiones, y nos situamos en un deseo de vivir más allá de nosotros mismos».

Una fuerte ráfaga de viento esfumó mis pensamientos.

XVI

Temprano en la mañana, Boris entra en la cocina lavándose los dientes. Carmen termina de preparar un pan, un poco de leche y en el fogón se calienta un recipiente de agua. Carmen echa dos cucharadas de café en el agua hirviendo y lo baja de la candela, echa el líquido a través de una cafetera primitiva. Armazón de metal, sostenida por un embudo de tela. El café empieza a destilar de la cafetera.

–Huele riquísimo, –le dice Boris besándola en la frente. –No te vi anoche. Llegué muy tarde preparando un proyecto para hoy en casa de Marcelo.

–Te he dicho que me despiertes cuando llegues, –le regaña Carmen mientras sirve el café.

–Estabas cansada. Estuviste todo el día cuidando al mojón ese...

–Está muy enfermo y Lucía ya no puede hacer más. No hables así.

–Está bien, está bien. Por cierto, ayer vino un viejo preguntando por ti.

– ¿Quién?

–No sé, dice que te conoció, va a volver. Dice cosas muy interesantes y distintas..., debe de estar en una misión en el extranjero, acaba de llegar y no sabe nada de ahora.

–¿Cómo tú sabes? No inventes.

–No, no invento, es que habla distinto.

–¿Cómo que distinto? ¿Tiene acento extranjero?

–No, habla cubano, pero distinto. Yo no sé, se mueve distinto y mira distinto.

–Ya estás imaginando cosas, –dice Carmen mientras recoge el plato del desayuno y la taza de café. –¿Te traigo la camisa?,– mientras va a buscarla.

En ese momento tocan la puerta. Boris se levanta de un salto con el último bocado en la boca. Sebastián lo saluda. Carmen regresa, con la camisa, y mira extrañada lo amistoso que está Boris con ese desconocido.

–Aquí está mamá. Este es el que vino ayer. Te dejo que llego tarde. Hoy no te puedo acompañar, –le dice a Sebastián.

Apurado se pone la camisa que le trajo Carmen, sale y cierra la puerta. Carmen recibe a Sebastián con amabilidad, lo invita a sentarse y le ofrece café.

–¿En qué puedo ayudarlo?

–No me conoces, o mejor dicho, no te acuerdas de mí. Te conocí cuando tenias quince años..., nos vimos un par de veces.

Sebastián percibe como la cara de Carmen se endurece y trata de endulzar la conversación.

–Sé que han pasado muchos años pero no pude venir antes.

Sebastián estaba incómodo, sabía que no iba a ser fácil ese primer encuentro. En ese momento entra Caridad.

–Buenos días, ¿cómo amanecieron?, –se anuncio con alegría. Pero de repente calla, siente algo en el ambiente. Carmen está tensa y Sebastián de pie. –Bueno, no sé si interrumpo algo. Perdone.

Carmen se recupera y trata de desviar la situación. Presenta a Sebastián como un pariente lejano que vino del campo y agrega rápidamente.

–Ah, que pena, no puedo atenderlo ahora. Caridad viene a buscarme porque tenemos algo que hacer, –dice precipitada y nerviosa, mirando el reloj.– ¡Mira qué hora es! Se me ha hecho tarde, ¿verdad Caridad?

Caridad asiente sorprendida, le desconcierta la actitud de la vecina de tantos años. Carmen conduce a Sebastián a la puerta, casi lo empuja, lo despide muy cortésmente y cierra la puerta. Caridad no sabe que hacer. Se miran en silencio por unos instantes.

–¿Qué pasa Carmen?

–Nada, nada.

–Oye, el que no nada, se ahoga.

–De verdad, nada. ¿No teníamos algo que hacer? ¿Ya es tarde, no?

–No, no tenemos nada que hacer, –afirma Caridad, y continúa cariñosa– A ver, Carmen, ¿qué te pasa? Estás alterada. ¿Quién es ese tipo? Mira que si te hizo algo yo le saco los ojos.

–No, no sé ni el nombre, dijo Carmen insinuando una sonrisa que se le congeló en el rostro, –me dio miedo.

–¿Miedo? Pero si tiene una cara agradable, la expresión no es para meterte miedo. ¿Te dijo algo, te amenazó? No entiendo. –No, no dijo nada. Hay algo que me revolcó aquí dentro, –Carmen señaló su corazón. –¿Dónde lo conociste? ¿En la cola del agua? Oye, está buenísimo... ¿está casado? ¿Tiene hijos? Tiene casi tu misma edad, quizás un poco mayor, harían una buena pareja. Pero, dime, ¿dónde lo conociste? No te quedes callada. Ya es hora que termines tu viudez. No hay nada mejor que tener un hombre a tu lado en la cama, o arriba, –ríe sin pudor y le arranca una sonrisa a la amiga.

XVII

L os tres amigos salieron del cuartel. Vestían ropas viejas, con antiguas manchas de fango, botas gastadas y sombreros de paja arrugados por el uso. En el jeep los esperaba uno de sus profesores, al timón, quien les explicó el objetivo mientras salían de La Habana hacia un pueblo cercano.

–Hay una asamblea de campesinos en Bejucal. El compañero de la cooperativa agraria nos pidió ayuda porque hay mucho descontento pero, sobre todo, hay un viejo muy querido y respetado por todos y no queremos que siembre más duda entre los demás. El veneno no puede extenderse, ¿entienden? Hay que pararlo. Los voy a dejar lejos de la reunión y los recojo en dos horas.

El chofer los fue dejando en distintos puntos cercanos al parque del pueblo. Boris caminó con trabajo pues las botas eran más grandes que sus pies, y se fue acercando al típico parque de pueblo, con algunos bancos bajo árboles centenarios, en un lado estaba el busto de algún patriota local sobre un pedestal, y en el medio la glorieta, especie de gran gazebo con columnas y una cúpula de cemento por techo, desde donde antiguamente tocaba una orquesta los sábados por la noche. Alrededor de la glorieta se agrupaba un grupo de guajiros de la zona.

«Guajiros» de piel curtida y vida simple. El nombre venía desde la Guerra de Independencia, cuando los «rough riders» de Teddy Roosevelt trataron de tomar, sin éxito, la Loma de San Juan en el oriente de la isla. Esto sucedió durante la guerra Hispano-Cubano-Americana. Con la ayuda de los campesinos, los soldados del general Calixto García terminaron por vencer a los españoles. Los soldados americanos los llamaron «war heroes» que pasó a pronunciarse «guajiros».

Dos o tres lo miraron intrigados. El altavoz reproducía la voz de Raúl, el jefe de la cooperativa, explicando los problemas provocados por las limitaciones de recursos producto del embargo norteamericano. Un agudo sonido de la interferencia estática del micrófono ponía de mal genio a Raúl, que golpeaba el micrófono para eliminar el ruido.

Boris se situó atrás y vio cómo Vladimir y Joel se encontraban a cada lado del grupo de guajiros. A ninguno de los tres les interesaba lo que decían. Los despierta un murmullo de la gente que les hizo prestar atención:

−¡Que hable Jacinto!

−¡Sí!, que hable Jacinto.

Después de algunos momentos, Jacinto subió los escalones de la glorieta y la voz con estática le dio la bienvenida.

Jacinto era un guajiro con machete al cinto y cara de zurcos profundos. Cuando se quitó el sombrero, el pelo blanco hacía resaltar la piel quemada por el sol tropical y sus ojos azules.

No quiso usar el micrófono. Se dirigió al público con una voz potente.

–Paisanos, el compañero Raúl nos habló de muchas cosas pero no ha tocado los problemas que de verdad tenemos por aquí.

El viejo hablaba con sensatez de los problemas que tenían en la cooperativa. Deficiencias en la organización; demoras en el abastecimiento y recogida de los productos que se pudrían en los campos. Visiblemente, la multitud lo apoyaba: estaba siendo el vocero de ellos. Eso no lo podían permitir los oficiales infiltrados en la asamblea. Esporádicamente lanzaron la consigna del bloqueo imperialista desde distintos puntos del auditorio.

Jacinto aceptó y continuó con voz fuerte que los problemas no eran de «afuera», sino de adentro. Que había mucha falta de eficiencia para usar mejor los recursos que disponíamos. Y que se podía solucionar.

Fue demasiado y los oficiales, disfrazados de guajiros, lanzaron una arremetida sutil de comentarios.

–Viejo, ¿de qué estás hablando?, eso sería en tu época.

La pregunta de Boris hizo que los que lo rodeaban lo miraran con desconcierto. Rápidamente, para ganar la confianza, agregó: –Aquí todos trabajamos muy duro, ¿verdad compañeros?

Los guajiros asintieron y continuaron escuchando a Jacinto que detallaba las maneras que podían poner en práctica para mejorar la situación.

Vladimir por su parte sembraba dudas desde su esquina; mientras Joel murmuraba en su grupo: «se está metiendo en la pata de los caballos».

Los espectadores empezaron a cuestionar las soluciones de Jacinto para aumentar la producción de las fincas pequeñas.

Boris, sin tener idea de la situación local, lanzó otra idea:

–Sí, claro, ese guajiro está tapiñado y quiere que le devuelvan las tierras que tenía antes de la revolución. Quiere volver a vivir como antes, a costa de nosotros.

La asamblea continuaba mientras los comentarios de los tres iban creando un efecto de oleaje que algunos repetían, otros agregaban de su cosecha, otros simplemente asentían con la cabeza.

Por fin, Boris dice en voz alta.

–Eso es diversionismo ideológico.

Joel y Vladimir lo imitan. El grupo se vuelve intranquilo, se miran con recelo y miedo; algunos discretamente se apartan, otros señalan con el dedo a Jacinto, otros reflejaban sorpresa en sus rostros, pues Jacinto siempre había sido un buen revolucionario; otros van haciéndole un círculo a Jacinto, quien se olvida de los problemas y comienza a enumerar sus méritos revolucionarios.

Boris se mueve hacia otro grupo algo aislado y dice en voz baja:

–Ese viejo es un contrarrevolucionario.

Joel y Vladimir se dirigen a otro grupo:

–Ese está pagado por los yankees. No tiene moral.

Jacinto trata de gritar y explicar pero ya la masa humana, hablando al mismo tiempo, apaga su voz. El rostro del anciano guajiro se contrae de tristeza y de frustración. El compañero Raúl coge el micrófono, calma a la gente y, con condescendencia, les habla.

–No, no, Jacinto es un buen revolucionario, pero está muy confundido. Se puede estar confundido desde dentro de la revolución, desde afuera, ¡no! Porque los enemigos de la revolución quieren destruirla.

Boris sonrió porque el compañero de la cooperativa hablaba cosas sin sentido, mezclando consignas de la revolución. Los asistentes se fueron calmando. Jacinto hizo un gesto de impotencia y bajó de la glorieta, cabizbajo y triste. El compañero coordinador pidió un aplauso por su aporte, aseguró que el próximo año las cosas mejorarían y terminó con un Patria o Muerte, ¡Venceremos!

La asamblea terminó y Boris se dirigió al punto de recogida. Vladimir y Joel ya estaban en el jeep.

–Nos quedó bueno, ¿verdad?

–De maravilla, Boris, ¿viste qué fácil cambia la gente de opinión? ¿Y lo rápido que se anuló a Jacinto?

Joel, sin embargo, no estaba convencido. Le daba pena Jacinto, no era contrarrevolucionario y sus planteamientos tenían lógica, inclusive desde dentro de la revolución.

–La escasez es por el bloqueo imperialista, –dijo Vladimir concluyendo el asunto.

Rieron e hicieron planes para la noche. Joel comentó:

–Señores, recuerden que dentro de dos días es el Aniversario de Bahía de Cochinos, «17 de Abril».

–¿Hay concentración?, –preguntó Boris.

–Claro, y va a hablar el Comandante, –comentó Vladimir sonriendo e imaginando el ligue que iba a hacer con alguna compañerita que terminaría en la cama de alguna «posada».

Todos los «17 de Abril» se celebraba la victoria de la revolución contra el imperialismo yankee, con una gran concentración de casi un millón de cubanos en la Plaza de la Revolución, a los pies de una escultura gigante de José Martí, Apóstol de la Independencia Cubana.

Generalmente Fidel Castro aprovechaba su discurso de tres horas en el que hablaba desde las relaciones internacionales, alabando a la Unión Soviética y denunciando a los americanos que quieren destruir la revolución con el bloqueo económico hasta los litros de leche que producía «Ubre Blanca», la vaca famosa inmortalizada en estatua. Y, por supuesto, no podía faltar la mención de «la invasión de Bahía de Cochinos» por un grupo de cubanos mercenarios, gusanos, partidarios del dictador Batista, auspiciada y entrenada por la Agencia Central de Inteligencia (C.I.A.) de los Estados Unidos, para siempre terminar con el glorioso «Patria o Muerte, Venceremos».

XVIII

Averigüé que casi nadie paga el autobús porque no pueden llegar a la alcancía al lado del chofer y me decidí. No me quedaba mucho dinero y el lugar era lejos. Hice mi cola en la esquina del hotelucho. El autobús estaba lleno, así y todo, logramos entrar todos los que estábamos esperando. Estaban acostumbrados; era una rutina diaria que había que hacer salpicada del siempre humor cubano.

–Pasito alante, ¡compañero!

–Oye, esa pierna es mía.

–¿Puedes quitarme el codo de la cara?

–Baja el brazo, asere, que se te murieron los enanitos.

–Niño, cuidado, de que se pega, se pega, baja el brazo.

–No hagan ola....

Es asombroso como las leyes de la física se violan dentro de un vehículo ¡Sí, puede haber dos cuerpos en el mismo espacio! La experiencia era fascinante. Me sentía parte de un gran cuerpo. No asimilaba donde empezaba mi cuerpo y empezaba el de los demás. Era molesto tener la cara de un hombre rozando la mía mientras que los pechos de una mujer bajita se incrustaban en mi barriga. Trataba de agarrarme de las barras en el techo pero pronto me di cuenta que no era necesario, no me iba a caer. Cuando el autobús frenaba o aceleraba, todos nos movíamos como la gelatina. Empecé a preocuparme cuando me di cuenta que tenía que cruzar todo el autobús para salir por la puerta de atrás. Paramos varias veces, entraba más gente y yo seguía en el mismo lugar. Traté de moverme pero fue imposible. Una muchacha, muy bonita, tenía el muslo entre mis dos piernas y, naturalmente, empecé a sentir una erección. Traté de virarme de lado sin lograrlo. Las gotas de sudor nervioso se mezclaban con las de calor de los otros cuerpos que me envolvían. Se va a dar cuenta, va a armar un escándalo, no me conviene que averigüen quién soy. Me percaté que en los autobuses no existe el sexo cuando un hombre me restregó su virilidad por mis nalgas. A nadie le importaba. Una viejita, ¿Cómo se habrá dado cuenta?, me dio la solución. «Meta su pie entre las piernas de los demás, después su pierna, y como en un acto de magia, el resto del cuerpo fluía entre otros cuerpos». Lo intenté y funcionó. Avancé poco a poco diluyéndome entre otros cuerpos hasta llegar a la puerta a tiempo para bajarme.

Así hice. Miré a todos lados buscando la dirección. No me gusta preguntar. Después de ambular por la esquina localicé la que buscaba y caminé decidido. Entré en un edificio despintado de los años 40, con grandes columnas clásicas rodeando un portal lleno de gente. Le enseñé un papel al guardia de la puerta, lo leyó con dificultad y me señaló una mesa dentro de la sala convertida en oficina. Los que esperaban en el portal protestaron en voz baja; ellos llevaban horas allí.

La compañerita de la mesa vuelve a leer el papel, llama de un grito a otra que también lee el papel, hablan entre ellas:eso debe de ser con Raciel, sí, sí... oiga, compañero, vaya a aquella oficina en la esquina y pregunte por Raciel.

En la pequeña oficina un gordo de bigote, vestido de verde olivo, me recibe.

–Siéntese.

Hace como si leyera varios papeles mientras aspira voluptuosamente un tabaco.

–A ver, dice disgustado por la interrupción.

Lee el papel, abre las gavetas del escritorio, saca varios papeles, los pone en orden y recita una lista de informaciones:

–Esta forma es para el Ministerio del Trabajo, liberándolo del trabajo.

Desconcertado, logré decir:

–Yo no tengo trabajo. Nunca he trabajado.

El oficial, sin hacerme caso, pone otro papel delante.

–Esta forma es para el comité del barrio cuando entregue la libreta de racionamiento.

–Yo no la tengo.

El gordo lo mira asombrado.

–Ellos lo sabrán.

Le explico mi situación, le enseño otro papel. El gordo se levanta, va a otra oficina, y regresa malhumorado.

–¿Por qué me hace perder el tiempo? No es aquí, vaya a aquella oficina con la compañera.

Recojo los papeles y me dirijo a la siguiente oficina.
La compañera, más eficiente, me da otro grupo de papeles
que tengo que llenar y traer al día siguiente.

XIX

El calor de la tarde caía sobre La Habana. En la casa del Vedado, Caridad toca la puerta y al no recibir respuesta la abre y entra como acostumbraba a hacer.

–Carmen, Carmen, ¿estás ahí?

Camina con cuidado por la sala, mira en la cocina y continúa hacia los cuartos.

–Carmen, –dice en voz baja.

Entra al cuarto y la encuentra acostada boca arriba, mirando fijamente al techo. Caridad se inclina y le sacude el hombro.

–Carmen, Carmen, ¿qué te pasa?, –susurra un poco angustiada.

Ella reacciona y finge una sonrisa.

–Nada, nada. Me duele la cabeza.

La amiga respira más aliviada mientras va con paso rápido a la cocina, todavía extrañada de la salud de la amiga.

–Te traigo un vaso de agua. ¿Tienes aspirinas? ¿Dónde las pones?

–Ya tomé dos.

La mulata, con su andar lento, regresa con el vaso de agua, se sienta en la cama y la ayuda a incorporarse.

—Ya pasó, ya pasó, —le dice como a un bebito dándole palmaditas en la espalda. Después de un corto silencio, continúa.

—¿Qué te pasa? ¿Boris? ¿Tiene algo Boris? ¿Te caíste? ¿Te duele algo? ¿Quién murió?

Carmen niega con la cabeza y se sienta en la cama.

—Estoy bien. Todo está bien... Ese hombre que vino por la mañana... Me ha revuelto toda.

La amiga la miró intrigada. Se había contagiado con el desasosiego de la amiga, temió lo peor, el tipo debe ser de seguridad del estado y la iba a interrogar por los pollos que habían conseguido el mes pasado, yo sabía que iban a traer problemas, se los dieron muy baratos, seguro era un chivato. Sí, se lo leí en la cara, cara de chivato, y ahora las llevarán a Seguridad, las tendrán varios días en celdas solitarias para que no intercambiaran ideas y marcar las contradicciones... Además, unas celdas que eran un congelador, frías y siempre iluminadas, para que no supieran si era de día o de noche, ni los días que pasaban allí adentro. La peor tortura era la mente buscando disculpas, hilando acontecimientos para que fueran creíbles. ¿cómo quedaría Boris? teniente de la contrainteligencia con una madre presa por contrabando.

Carmen detiene la fantasía de la amiga.

—No, no es nada de eso.

Sorprendida por no adivinar arremetió con otra andanada de posibilidades, que si le dijeron un chisme, que si Boris había preñado a la hija y quería que se casara...

–No, no es nada de eso.

Caridad casi había agotado su repertorio pero se fue tranquilizando. Recordó la mentira de Carmen para zafarse del tipo. No sabía lo rápida que era su vecina para crear cuentos.

–Dice que me conoció cuando tenía 15 años y...

–¿Qué tiene que ver? luce muy bien y calculo que es un poco mayor, puede ser alguien que quiere renovar una vieja amistad, o quizás un viejo amor.

–Y me dio mucho miedo. –Respirando hondo. Se sienta en una silla del comedor y comienza un largo monólogo, de esos que hay que verbalizar aunque no haya audiencia. Caridad se sentó en otra silla para escucharle con atención, sin interrumpirla, cosas que ya sabía, cosas nuevas que podían orientarla en la crisis de su vecina.

Cuando el problema de su padre, tuvieron que irse a vivir al campo con unos parientes. En el barrio los vecinos no les hablaban, eran los apestados. Hasta les escribieron insultos en las paredes. En el campo todo se calmó pronto. Se celebraba la derrota del imperialismo en Bahía de Cochinos y el gobierno se sentía más seguro. Pero la mamá no conseguía trabajo y estaba muy triste. La tristeza la mató pocos años después. La familia del campo no podía mantenerlas por más tiempo y en eso apareció Ramiro. Se conocieron en el parque durante un baile. Fue su tabla de salvación. Le contó todo a Ramiro. No le importó y la protegió siempre. La amaba incondicionalmente. Ella aprendió a amarlo. Se casaron y se mudaron ahí. Caridad fue muy buena, la trató como una hermana a pesar de saber su pasado.

Al poco tiempo nació Boris que, como todos los bebés, trajo una flauta de pan bajo el brazo. A Ramiro lo hicieron teniente y la pesadilla fue quedando atrás. Boris había traído luz y esperanza al matrimonio, crecía sano de cuerpo y alma. Ella se había integrado a la revolución, a la Federación de Mujeres Cubanas y al comité del barrio. Parte por embullo, porque era «bien visto», Ramiro se hizo «internacionalista», para implantar la revolución en otros países, a Nicaragua primero y después a Angola. A Boris lo educaron para que fuera parte de la sociedad, pero a los seis años perdió a su padre. Carmen hablaba sin parar sacándose la angustia de su corazón, enterrada hacía años. Lo mataron en Angola. Fue muy duro para él..., a esa edad, cuando más se necesita la autoridad de un padre. Como madre y padre, Carmen le contó muchas historias de las cuales sentirse orgulloso, sobre el abuelo en la lucha contra Batista, y sobre su padre entregado a la revolución. Pero nunca le dijo toda la verdad.

—¿Entiendes? Oculté muchas cosas, Caridad.

Ahora llegaba ése. Reconocía que era buen tipo pero que no sabía de dónde había salido, ni que quería, y sentía el frío de la premonición.

—Me dio miedo.

La vecina comprendió que era el pasado que resurgía. Ya había sucedido cuando, al hacerle el expediente a Boris al entrar en la escuela de oficiales, Carmen se había puesto muy nerviosa. Con esta certidumbre le describió un nuevo escenario. «A lo mejor es un pariente lejano, tienes muchos primos que vivían en la ciudad de Cienfuegos a quienes sólo conocías de nombre. O, pudiera ser un muchacho del pueblo cuando vivieron en el campo, podía ser cualquier cosa».

—¿De cuando yo tenía 15 años?, –interrumpió desconsolada.

«No tenía nada que ver, fue durante la época de Batista que ella tendría esa edad, cuando el dictador escapó de Cuba. A lo mejor era un enamorado de aquella época, de la escuela, y podían haberse conocido allí».

Esta idea la estimuló y continuó animosa otro capítulo de su novela: «claro, se sentaba a tu lado, pero era muy tímido y nunca te dijo nada. A lo mejor te escribió noticas de amor y te las tiraba en el suelo para que las recogieras. Ella no se fijaba porque el muchacho era flaco y feo y tenía la cara llena de granos».

—Carmen sonríe ante las ocurrencias de su vecina.

—Y ahora, –continuaba Caridad con una sonrisa, –ahora con los años se ha puesto de lo más bueno.

—Eres tremenda. Pero, ¿por qué ahora?

—Bueno, te fuiste de La Habana, te buscó y no te encontró, sufrió desconsoladamente mucho tiempo, se empató con alguien y enviudó hace poco, –culminó Caridad con su sonrisa amplia de cara ancha y dientes muy blancos.

Carmen no estaba del todo convencida. Y Caridad sigue la novela.

–Dio contigo por un pariente que tiene en la academia militar porque, claro, él no tiene hijos, tú eras el amor de su vida y un hijo del pariente conoce a Boris y, atando cabos, fue como llegó a tu dirección. Ahora te invitará a pasear, quizás tiene una finquita que les pueda conseguir algo. Pueden irse una noche a bailar, a ti siempre te gustó bailar, entrenaste muy bien a Boris, y te hará recordar la juventud, y volverás a tener un compañero en la cama y serán felices.

Cuando Caridad terminó de estructurar la novela, Carmen quedó más tranquila, pero no convencida, y le achacó su nerviosismo a las trastadas que le jugaba su imaginación. Todavía había muchos hilos sueltos; además, la intuición le decía que tuviera cuidado pues presentía peligro. Sin embargo, tenía que salir de dudas y Boris no debía de enterarse.

–Boris no puede enterarse, ¿entiendes?

–Ni verte así en ese estado. Si te ve, tú solita te descubres, le dijo regañándola. Le preguntó por unas pastillitas para dormir que había traído hacía tiempo. Fue a buscarlas al gabinete del baño y se la dio con un vaso de agua. La ayudó a acostarse.

– Cuando despiertes estarás mejor, mi hermana.

Carmen sonrió agradecida. Cerró los ojos con una idea que la tranquilizaba. «A lo mejor es un enamorado de aquella época».

XX

Me dirigí a mi barrio, donde me había criado. No quería recordar pero el gusanito de la curiosidad fue más fuerte. La caminata me hacía palpitar el corazón; no estaba acostumbrado a caminar tanto, además los zapatos eran duros. Al acercarme, fui reconociendo las calles, las casas. Los recuerdos de la niñez quedan incrustados hasta en los huesos. Repasaba mentalmente el nombre de los que vivían en cada casa y las veces que tocaba las puertas y ponía un cohete encendido en la aldaba. Cuando el ingenuo vecino abría la puerta, el cohete explotaba, sonreí.

Todo estaba igual, las mismas casas, ahora despintadas, y los árboles más grandes. Sin embargo, todo era más pequeño. La calle gigantesca de antes, ahora era estrecha; todavía quedaban los rieles del tranvía incrustados en el asfalto. ¡Cómo me castigaron cuando mi madre me vio, en mi bicicleta, remolcado por un tranvía! Para mí había sido una hazaña, un paso de crecimiento.

Llegué a la esquina. El edificio de apartamento de tres pisos que le decían «el merengue». Enfrente la casa de Veneranda, joya colonial, rodeada de una cerca alta de hierro oxidado semejando lanzas. La punta de una de ellas me hirió un muslo cuando intenté saltarlo. Veneranda era la encargada, ¿la dueña?, flaca, arrugada, pelo blanco recogido en un moño (podía haber tenido cien años), alquilaba los cuartos, cosa muy frecuente en esa época. Era «una casa de huéspedes». En otra esquina estaba la Farmacia del Doctor Unanue. Había que cruzar la antiguamente ancha calle con los rieles de tranvía. La primera vez que lo hice sólo, me sentí grande e importante. En la cuarta esquina estaba la bodega, construcción de un piso, portal amplio sostenido por columnas cuadradas. Dando a la calle 4 estaba la barbería de Roque... detestaba pelarme, el olor en la barbería, subirme a un cojín sobre las sillas de la barbería, y después tener que bañarme para quitarme la picazón de los pelitos en el cuello. Ahora estaba abandonada y cerrada por las puertas de acero ondulante que se enroscaban en la parte superior. Recordé el ruido que hacía al abrirse temprano en la mañana. Por el lado de la calle 17 estaba la bodega; vendían también bebida; los niños no podían sentarse en las butacas, sólo podían ir por el lado donde hacían las galleticas preparadas de jamón y queso y comprar «africanas» de un centavo. Ahora no había ni una botella de bebida en el bar, ni jamones colgados. Solamente estaba un dependiente joven hablando detrás del mostrador con una amiguita sentada en una de las butacas.

Me detuve en la explanada enfrente a la bodega y giré, muy lentamente, quizás para que la niñez me entrara por los poros nuevamente. Todo estaba igual menos la gente. Eran extraños. No pertenecían a mis recuerdos. La calle, las casas, todo era tan pequeño.

Crucé la calle y decidí ir a mi casa. Bordeé la baranda de Veneranda, tocando los barrotes, uno a uno, como cuando era niño. La baranda terminaba y se abría el espacio por donde entraba el carro de mi padre, por una estrecha callejuela hasta el final donde estaba el garaje. Quería abarcarlo todo y fue imposible.

El jardín donde enterraba mis pescaditos cuando morían, y el canario que metí dentro de una cajita de madera en la que venían los turrones. Recordé el ceremonioso entierro, llorando a mi amigo cantor. Fue mi primera experiencia de la muerte.

El corazón me palpitaba más fuerte. Separando el jardín de la acera estaba la cerca de mampostería, tan alta como la muralla china, hecha de balaustres torneados de cemento que costaba trabajo escalar para caminar por el muro del borde. Casi escuché de nuevo a mi tía solterona gritando desde el portal «Muchacho, te vas a caer».

Para subir al portal había que trepar siete escalones. Los números los había aprendido al contarlos. Eran de granito muy duro y me habían producido muchos chichones y heridas. El amplio portal, también de piso de granito, estaba cerrado por una baranda más bajita de balaustres, igual que la de afuera.

El portal estaba vacío pero lo vi lleno de sillones cubanos de rejilla, pintados de verde, como cuando era niño. Nací en esta casa.

Lloré.

XXI

Carmen se levanta y va a su habitación. De un viejo escaparate saca una caja de tabacos escondida entre la ropa. Se sienta en la cama, enciende la lamparita de la mesa de noche, abre la caja y saca un paquete de fotos... en el fondo de la caja hay un paquetico amarrado por una cinta. Lo coge y lo vuelve a dejar. Mira las fotos desteñidas. Ella de niña con sus padres, ella en su cumpleaños con un gran pastel y diez velitas encendidas. Ella sentada en las piernas de su padre jugando con el gran anillo que siempre tenía puesto. La foto de su boda con Ramiro, «qué joven estaba» Boris..., muchas fotos de Boris, todos los cumpleaños con sus amiguitos, vestido de pionero, en el servicio militar, con la cabeza rapada. Ella abrazada a Ramiro mirando a Boris jugar con una máscara africana que Ramiro trajo. Tenía seis años, después no hay más fotos de Ramiro. Entre las fotos estaba la comunicación del ejército anunciando la muerte de Ramiro «sirviendo a la patria». Las últimas fotos de Boris con Iraida en la playa.

No se da cuenta que Boris había entrado al cuarto.

–¿Por dónde entraste? Me asustaste.

–¿Qué haces?

–Nada, viendo fotos, –contesta distante, mientras las vuelve a poner en la caja de tabacos. –Te voy a preparar algo, creo que hay un poco de leche.

Boris se queda y ve una foto media escondida debajo de la almohada. Era de Carmen siendo niña, sentada en las piernas de Pablo. No recordaba esa foto y la inspeccionó detalle a detalle, la expresión de felicidad de su madre y la ternura de su abuelo. Carmen le sostenía la mano y acariciaba una gran sortija.

En el comedor, mientras toma la leche, le pregunta:

–Mamá, ¿dónde está enterrado papá?

–¿Y eso? ¿A esta hora? Pues debe de estar en Angola. Nunca trajeron el cadáver.

–¿Por qué?

–Sólo Dios sabe, –dijo intentando parecer despreocupada.

Pero se percató del rictus en los labios de su madre, síntoma de que había algo más. Por la mente de Carmen pasaron los comentarios de esa época... que a muchos los capturaron, los mutilaban... y hasta se los comían...

–Y ¿abuelo?

Sintió un vuelco en el estómago pero reaccionó rápido.

–Con tu abuela.

–¿Sabes? En estos días lo tengo muy presente. No sé, quizás porque estoy siguiendo sus pasos. Tiene que estar orgulloso, ¿no crees? Nunca vamos al cementerio. Deberíamos de ir.

Ella se hizo la distraída recogiendo el desayuno y por fin dijo en voz baja y monótona...

–Los muertos, muertos están, déjalos descansar; dale, termina y acuéstate que ya es tarde y tengo sueño.

Cuando se fue el hijo, se tiró en la cama. No pudo dormir. Se habían revuelto todos sus recuerdos. Encendió la lamparita, volvió a mirar la foto con su padre. Al rato, se paró delante del espejo del escaparate, se abrazó al recuerdo del padre, como cuando tenía quince años: Su fiesta de quince, la ilusión de bailar con su padre delante de todos. Recordó con detalles el vestido que iba a usar ese día: rosado, escotado, con muchos pliegues.

Desde sus recuerdos escuchó la voz del padre:

–Eres una princesa.

–Mira qué bien me queda. ¿Ordenaste el pastel de cumpleaños?

–Sí, y los bocaditos también aunque faltan dos semanas.

–Trece días. No me vas a poner excusas esta vez, ¿verdad? Nunca has estado en mis momentos importantes. Cuando cumplí los 12 no estabas...

Sintió cuando, tiernamente, él le puso dos dedos en sus labios para callarla.

–Tampoco cuando me operaron de apendicitis, ¿te acuerdas de ésa?

Él vuelve a ponerle los dedos en sus labios y le dice tiernamente.

–Tus quince van a ser los mejores. Serás la princesita más feliz de la tierra.

Carmen, aún mirándose al espejo, se abraza del recuerdo de su padre.

–¿No me vas a fallar?

–Te lo prometo

«Me lo prometió»..., pensó

Esa misma noche, el timbre de la puerta sonó y entró Ibrahim. Carmen lo quería como a un tío, era el mejor amigo de su padre, pero le disgustaba saber que compartían sus ideas políticas, «sus guerritas». Anteriormente, en medio de la noche, la policía de Batista tocaba la puerta buscándolo. Se lo llevaron preso. Miedo, siempre el miedo de que no volviera, que la abandonara. Esa noche Ibrahim se llevó a su padre al cuarto. No escuchó lo que hablaron. Al salir, Pablo dio una excusa, miró el reloj y le dijo:

–Princesita regreso en dos horas.

Nunca volvió.

La noche pasó más rápida que los recuerdos.

XXII

Ya había recogido las latas de agua para esa mañana y estaba preparando el frugal desayuno. Él también había dormido mal, se despertó a medianoche con una pesadilla en que aparecía con Joel y Vladimir matando a otro oficial. Lo asoció al dilema que le había planteado Molina, pero todavía tenía tiempo para decidir.

Algo le preocupaba más. De madrugada había escuchado los sollozos de ella y ahora le veía los ojos llorosos y muy silenciosa.

Mientras se bañaba repasó las causas del llanto. Ella tenía que estar contenta con sus éxitos en la academia, aunque no le convencían las armas ni la guerra. Quizás fuera su lenta relación con Iraida, lo del viaje a Rusia había demorado la boda y también los nietos, pero ya pronto podría ser realidad. Desechó también esa idea. Pudiera ser la pregunta sobre el coronel Molina, nunca le había gustado, sin embargo nos había ayudado de una manera evidente ¿hubo algo entre ellos? Y Ramiro. ¿cómo entra en este esquema? ¿cómo murió? ¿Por qué lo dejaron en Angola?

Ella se lo hubiera dicho, no le hubiera ocultado nada. Estaba a punto de desechar esa otra idea cuando surge la figura de Sebastián. Aparece de repente, de manera misteriosa, todo él era misterioso. Y que le quería hablar del pasado ¿tuvieron relaciones? Se prometió hablar con ella esa noche. El claxon de un carro interrumpió el desayuno. Vladimir tenía un jeep prestado y venía a recogerlo. Le explicó que lo pidió anoche a nombre suyo porque nadie lo negaría al ahijado de Molina.

–No jodas más con eso Vladimir.

Boris estaba molesto, aunque algunos compañeros le insinuaban el favoritismo del coronel, sólo Vladimir se atrevía a decírselo en la cara.

Por el camino el amigo le hablaba sin parar sobre el futuro, las posibilidades de la revolución, los beneficios que traería ser oficial de contrainteligencia; podrían viajar, visitar otros países, traer ropa de afuera, un televisor de colores... Y las mujeres, «las mujeres», se llenó la boca para decirlo.

–Tengo un socio que está en España, por una misión, y se empató con una madrileña que es un bombón.

Vladimir continuó exagerando las virtudes corporales de las españolas. Boris lo ignoraba, el jeep continuaba por las calles de poco tráfico y los autobuses desbordando gente; pasan por la Universidad de La Habana y desembocan en el malecón.

A esa hora ya había alguien sentado sobre el muro, lo identificó fácilmente. «¿Qué hace Sebastián ahí? ¿De dónde salió? No trabaja ni hace nada».

—Cambiando de tema, esto es serio —dijo Vladimir, en tono confidencial —sé que te regalaron una «Makarov». Mirando de reojo a Boris para ver la reacción. —Tengo un amigo de un turista español y quiere comprar una Makarov, ¿sabes?, como souvenir. Hizo una pausa esperando una reacción. —Me da 500 dólares, ¿te interesa? Boris pensó unos instantes para asimilar la oferta, podrían estar tentándolo para probarlo. Quizás a Vladimir le habían dado esa misión: vigilarlo. Aunque por otro lado él había siempre sido así. Demoró la respuesta pensando las alternativas. Si lo tomaba en serio tendría que reaccionar violentamente y romper la amistad, si no era suficientemente fuerte sembraba la duda sobre su incondicionalidad a la revolución. Tendría que denunciarlo, decidió tirarlo todo a broma.

—Tú no cambias.

Vladimir se percató del disgusto del amigo pero continuó como si fuera una broma haciendo otro ofrecimiento.

—¿Y las botellas de ron? el Habana Club, de las que van afuera...

Boris no le contestó pero le hubiera dicho que «¿cómo un oficial de la revolución que había jurado defenderla sólo pensara en estímulos materiales? Por culpa de gente como él la Revolución no podía progresar, el enemigo se infiltra de maneras sutiles despertando las ambiciones más bajas». Por otro lado, varias veces había pensado sobre el tema. Sabía que la gente para conseguir algo tenía que buscarlo en la bolsa negra o el trueque. Joel lo hacía, Carmen lo hacía, hasta Caridad, que era la jefa del Comité de Defensa de la Revolución, lo hacía...

–Todo el mundo lo hace, hasta los «pinchos», en definitiva las botellas de ron no son contrarrevolucionarias.

–Dijo jocosamente Vladimir parqueando frente a la academia. Mientras subía la escalinata volvió a pensar en las pruebas que podían estar poniéndole. Ahora, con lo de Vladimir, parecía que era otra más. No acostumbraba a tener tantos dilemas en la cabeza, mejor dicho, no recordaba haber tenido dilemas en su vida. Quizás todo era una gran prueba; el planteamiento de Molina: tenía que escoger a un acompañante. Confiaba más en Joel, pero lo conocía bien: tendría escrúpulos. No es fácil «eliminar» a sangre fría. Vladimir lo haría riéndose. Y entonces, ¿Por qué esa oferta de la Makarov? ¿Reaccionó como debía? ¿Pasaría la prueba?

Apretó el paso, no quería llegar tarde a la clase. Y, por otro lado, volvían a su cabeza el caleidoscopio de imágenes superpuestas: su madre, Iraida; su padre, su abuelo.

Contestó automáticamente el saludo de Daisy. Ella notó una expresión extraña en su rostro. Iba a preguntarle algo cuando la entrada triunfal del pequeño Lenin silenció los murmullos en el salón.

El maestro quería evaluar la práctica de sabotear una asamblea. Por supuesto él sabía los resultados porque en cada grupo había asignado un evaluador que estaba discretamente entre la multitud.

Los grupos fueron reportando agregando anécdotas y situaciones embarazosas hasta que tocó el grupo de Boris. Vladimir hizo un reporte impecable, usando una fraseología leninista que agradó al profesor. Mientras tanto él trataba de armar un rompecabezas que le diera una imagen de lo que estaba pasando. Unas piezas encajaban, pero siempre faltaban otras que desarticulaban la visión final. La figura de Iraida se iba y venía descomponiéndose como en un caleidoscopio. Carmen se mezclaba con Ramiro y aparecía el abuelo y la abuela como destellos en una noche de fuegos artificiales.

–No se puede dar descanso al enemigo, no se pueden sentir emociones ni sensiblería cuando se trata de defender la revolución –dijo en voz alta el pequeño Lenin trayéndolo de nuevo a la clase..

Daisy lo miró con una expresión entre duda y preocupación. «Quizás mi cara refleja angustia» pensó mientras hace el esfuerzo para que los músculos de la cara expresaran atención a los reportes.

Algunos hicieron preguntas reafirmando lo enseñado anteriormente. Joel hizo un comentario que atrajo miradas inquisidoras de todos. Él continuaba su rompecabezas. Había una pieza que flotaba en el esquema y no sabía dónde colocar: era Isidro Molina. Podía entrar en todos los espacios vacíos sin que encajara perfectamente

Sebastián no era parte del rompecabezas y sin embargo estaba ahí. Había algo que no sabía cómo definir. Quizás le recordaba, de una manera especial y misteriosa, al abuelo. A lo mejor por viejos o por la figura paterna que no tuvo. «¡Qué extraño!», pensó. La cara contraída provocó que Daisy lo tocara suavemente como una madre al niño que tiene un dolor. Se sorprendió y sonrío.

Alcanzó a escuchar las últimas palabras del profesor.

–Han demostrado eficacia y combatividad revolucionaria.

Decidió ir pedazo a pedazo, sería la única manera de recomponer su universo

–La clase ha terminado.

Joel le pidió que lo llevara a su casa y, la idea le agradó. Con Joel podía descargar un poco el peso que le estaba aplastando.

–Claro vamos.

Al principio estaba silencioso, no sabía cómo empezar.

–¿Qué te pasa Boris, tienes problemas?

Por fin, con frases cortas, mencionó la preocupación por la madre, prefirió empezar por los últimos acontecimientos y dejar para después lo de Molina y su padre.

–Es un tipo que ha venido para hablar con mamá, y, parece un buen hombre; un poco misterioso; sabe mucho, ha luchado y no es soldado,

Boris era incapaz de ordenar sus ideas para sacar una conclusión.

–Conoció a mamá hace 30 años y no se han visto hasta ahora.

–¿Un viejo amor?

–He pensado eso, pero ¿por qué la inquieta? Ella es viuda, puede empezar una nueva vida, aunque yo soy lo único..., vacila y no termina la frase.

–¿Quizás la hizo sufrir? –Pregúntale y sales de eso.

Boris quería sacar todas las dudas que tenía y preguntó sin preámbulo.

–¿Y Molina?

–¿Qué pasa con Molina?

–No sé Joel. Ustedes resienten su preferencia conmigo.

Joel quedó pensativo. Quería ayudar a su amigo que parecía estar pasando por un mal momento. Por otro lado no podía engañarlo, decidió decirle lo que se comentaba.

–Fue en Angola; dicen que tu padre muere porque el coronel se acobardó y lo abandonó en medio de una batalla; ahora trata de aliviar su conciencia contigo. Pero no hagas caso, son habladurías, nunca hubo investigación. ¿Para qué te iba a tocar el tema? Pueden ser rumores, pregúntale a tu madre, ella debe saber...

XXIII

En la oficina de inmigración, después de mucho esperar, un funcionario me dio los documentos junto a una larga lista de instrucciones. Representaban un nuevo mundo, un cambio total en la vida. Era el final de una etapa y el comienzo de algo desconocido. «La incertidumbre es más fuerte que el miedo", había leído una vez. Las miró una por una. No sentí nada, era el seguir las instrucciones, cosa a la que estaba acostumbrado por largos años de entrenamiento.

Afuera el sol me abofeteó los ojos, guardé el papel en el bolsillo del pantalón y sentí, en la punta de los dedos, en el fondo, la sortija.

Tenía que volver a casa de Carmen.

Fue un largo trayecto que hice más lento ante la ambivalencia: tenía que hacerlo y temía otra reacción adversa.

Frente a la casa del Vedado estuve indeciso por largo rato hasta que me di cuenta de unos transeúntes que me miraban intrigados.

Ella abrió la puerta quedó tan sorprendida que no se dió cuenta que ya estaba adentro. El silencio helado que salía de sus ojos me paralizó. Logré con frases inconexas, justificándome, pedirle que me escuchara.-

–Tengo que darte un mensaje. Estuve junto a tu padre hasta el final. Escúchame.

Carmen recibió un estremecimiento en sus recuerdos. Sus pensamientos se verbalizaron confusos, lentamente. Inconexos.

–Me lo temía, vuelve el pasado, no quiero saber nada, no me importa nada... Él nunca fue padre ¿por qué viene ahora? ¿Ahora?

La confusión inicial estalló en llanto entrecortado por palabras: déjeme tranquila, váyase, va a destruir todo, ¿acaso usted no tiene corazón?

No supe qué hacer, la reacción era desmedida, me dejé llevar hasta la puerta empujado por ella.

Sabía que resentía el abandono del padre, pero fue hace muchos años y esperaba que le interesaría saber más de él.

La puerta se cerró con un golpe seco detrás de mí acompañado por un ¡no regrese más!

Deambulé desconcertado por las calles de La Habana con el bullicio de gente regresando al trabajo, niños saliendo de la escuela y autobuses desbordando cuerpos. Mi mente estaba embotada, no podía seleccionar un pensamiento para analizarlo y mis piernas me subieron por la larga escalera del apartamento de Ramón.

–Sebastián ¿qué te pasa?, entra, siéntate, toma un poco de agua. Ya más calmado expliqué que había conocido a la hija de un amigo. «Tú no lo conociste. Tenía que darle una cosa y ni siquiera me quería oír. Lo borraron, no existe. Ni siquiera quieren averiguar. Ellos están integrados con la revolución».

Ambos quedamos en silencio.

–Mira Sebastián, aquí la gente se ha acostumbrado a todo, es más fácil; yo me he acostumbrado, el pasado pasó. Aquí se vive al día, sin futuro pero también sin pasado. Yo quise reconstruir mi vida, mi pasado, perdí mi tiempo. No existe. Hace daño y puedes hacer mucho daño, las heridas no se curan con sal. Déjalos tranquilos, vete. ¿Dices que ella reconstruyó su vida, tiene hijos?

–Uno, teniente del ejército.

Ramón no me hizo más preguntas.

XXIV

La luz de los vitrales flotaba en el vacío. Los acordes del órgano me hicieron levantar los ojos a la imagen de San Sebastián. Seguía ahí, amarrado a un poste con el pecho acribillado de flechas. No se había ido; tampoco se había ido Jesús, clavado a su cruz.

El organista iniciaba una «fuga» de Bach, rápida, rica en acordes altos y bajos, casi obsesiva, como mi estado de ánimo, que no podía liberarse de los vendajes de la mortaja. Los acordes del órgano pronunciaron un silencio más silencioso dentro de la pirámide.

Sin embargo; presiento algo a mi lado, se mueve. Silencié mi rigidez para escuchar mejor. Sin lugar a dudas algo se mueve; al principio imperceptible, como un dedo asfixiado serpenteando entre las vendas, buscando aire. Le siguió la mano con estruendo de vendas rotas y articulaciones oxidadas.

No me moví; claro, no puedo moverme. Presiento que la mano libera su brazo y su brazo libera un torso y su torso libera un cuerpo. El cascarón va cayendo en pedazos de mortaja. Lo oigo. Hay algo a mi lado. Lo que fuera, estaba a mi lado, de pie. Estremecí de miedo. Controlé mi rigidez para que no se moviera y esperé. La «Fuga» de Bach paró.

–Señor, Señor, qué bueno que haya regresado.

La viejita de la vez anterior estaba inclinada a mi lado, hablaba muy bajito para no despertar a los muertos.

–Hoy tampoco hay Misa, pero si tiene fe, vale lo mismo, dijo la viejita con su sonrisa pícara, y continuó: –Somos pocos y a él no le alcanza el tiempo para venir (refiriéndose al cura), pero lo importante es que Él (refiriéndose al crucificado), siempre está.

El órgano apagaba su susurro. Sus labios seguían hablando pero ni ella misma se escuchaba.

El sol se hace presente a través de los cristales. Las sombras de los vitrales se movían, fantasmas de colores, tocando cada piedra haciéndolas renacer a una nueva realidad como si en cada minuto naciera una nueva vida, una nueva Iglesia.

Unas manos arrancaron las tiras de tela que me protegían. Mi rostro quedó a la intemperie. La oscuridad intensa penetró en mis cuencas vacías. Mis labios quedaron desnudos ante el frío de la libertad. La punta de unos dedos rozó suavemente mis labios.

–Habla, puedes hablar, dijo una voz.

Los apreté en un rictus de terror.

–No temas, tú sabías que algún día llegarías a este momento.

–Estamos muertos, –expresé asustado del sonido que salía de la boca. Lo que estaba a mi lado volvió a insistir:

–Mírame, estoy a tu lado, no estamos muertos.

Esas palabras resonaron en el vacío de mi cráneo y por fin los miedos se escaparon de nuevo:

–Estamos muertos y tú lo sabes, eres igual que yo, tócate el vientre: la cicatriz. Estás vacío igual que yo. Te arrancaron las vísceras como frutas maduras.

Quedé exhausto de tanto hablar pero satisfecho de decirle la verdad. Había reconocido la voz. Era la mía.

–Sí, tengo la cicatriz desde el cuello hasta la ingle, y ¿qué?, Te oigo, te toco, camino...

–Qué me importa estar muerto si hago lo mismo que cuando estaba vivo.

–Recuerdo muy bien lo que me hicieron, lo que nos hicieron, ¡y qué!

–¿Por qué insistes, para qué quieres aumentar el dolor de la muerte sabiendo que puedes no estarlo?–La angustia apretaba mi garganta, pero él continuaba hablando.

–No sé, quizás cobardía.

–¿Y qué vamos a hacer, deambulando como espíritus eternamente por dentro de la pirámide vacía?

–Te repito que no sé. Pero si tenemos oportunidad de actuar, tenemos que hacerlo, donde sea que estemos ¿acaso alguien nos dijo que los muertos se movían, hablaban, pensaban?

–Y ¿después?

–Después, ¿qué?

–Si salimos... Somos distintos. No podemos ocultar nuestra cicatriz. Nos descubrirán. No nos aceptarán porque somos momias. Además, nos confundirán por ladrones de tumbas y nos apedrearán: los mismos que queríamos nos sepultarán bajo las piedras otra vez. Es más cruel. Déjame protegido por el cascarón de las vendas. Calla. Muérete otra vez.

Un sollozo me estranguló la garganta que se debatía entre el ayer y el hoy en mi pesadilla diurna. Cientos de imágenes, superpuestas, de ayer y de hoy desfilaron rápidamente por mis recuerdos. El cuerpo entumido me dolía y continuaba escuchando el «levántate», «levántate». Martillando implacable.

El combate duró siglos.

Sin saberlo estaba caminando lentamente por el malecón, encorvado, pesaban mucho los hombros. De un salto me senté en el muro y miré al mar. Ahí estaba siempre fiel. Me regaló su aliento. El aire cargado de iodo y algas me entraba en los pulmones asustados.

Repasé los últimos días las conversaciones con Boris y la actitud de Carmen. Mi futuro: ¿qué me esperaba?, ¿qué tenía?, ¿qué quería? Nada tenía sentido. ¿Por qué destruir un hogar y un futuro? Carmen claudicó por su amor de madre y por miedo; ¿y Boris? Él no tiene por qué pagar las consecuencias de las acciones de otro. La culpa no se transmite como los genes. Ramón tiene razón, puedo hacer mucho daño. Y, ¿les importará saber la verdad? Sin embargo... ¡la verdad! ¿Hace falta la verdad? ¿Qué es la verdad?... Jesús no le contestó a Pilatos.

La mirada seguía el agresivo balancear de las olas aunque no las veía. «Las olas chocan contra las rocas como los recuerdos, se convierten en espuma, se disuelven». A lo lejos el Castillo del Morro y al lado «La Cabaña».

«Ahí estuvimos juntos, ahí terminó todo, o empezó todo. A nadie le importa ni le interesa. Los años cambian todo, disfrazan la verdad, la ocultan, o se olvida. No hay derecho».

Por la calle pasó lentamente un camión con un altoparlante; citaba a la población a la magna concentración en la plaza de la revolución por el 27 aniversario de la victoria sobre el imperialismo yanqui en Girón en 1961.

XXV

U na ola me salpicó la cara, regresé muchos años atrás cuando nos habían llevado a La Cabaña para juzgarnos. Virgilio era el jefe nacional de suministro de la organización clandestina Directorio Revolucionario Estudiantil compuesta exclusivamente por estudiantes universitarios y de secundaria. Al no tener ataduras con intereses creados, ni aspiraciones políticas, era la más temida por el gobierno. Éramos los sucesores del Directorio anterior que había asaltado el palacio presidencial para ajusticiar el dictador Batista.

Virgilio tenía 21 años, estudiante de leyes en la Universidad de La Habana, había hecho la secundaria en una escuela militar privada, conocía bien el manejo de las armas. Tenía fama entre todas las organizaciones clandestinas de valiente y osado y de no perder la sonrisa en ningún momento. Irradiaba a través de sus ojos verdes claros, como el agua de la playa, la alegría de vivir del que se siente satisfecho con su conducta.

17 de abril de 1961

Llevábamos sólo una semana en La Cabaña. Nos habían sacado del G-2 (departamento de investigación que en esa época todavía no habían aprendido de los rusos las técnicas de interrogatorio) donde nos metieron para investigarnos e interrogarnos; por suerte fueron sólo cinco días.

A mí sólo me sacaron una vez para decirme que debía decir todo lo que sabía aunque de todas maneras me iban a fusilar, también me dijeron que habían ido a mi casa y tenían presos a mi hermano mayor y a mi madre. Muy temprano en la mañana nos mandaron a salir de las galeras al patio. ¡Requisa, requisa! Gritaban los guardias armados hasta los dientes.

–¿Qué pasa?, –pregunté.

–Requisa, vienen a registrar y botar lo que quieran, apúrate que están dando golpes, –me contestó alguien en el tumulto de presos mientras salíamos hacia la gran puerta única salida. A ambos lados las literas de tres camas de alto.

En el patio dos filas de guardias algunos con fusiles «Fal» nos apuntaban amenazando, otros tenían en las manos largas bayonetas de los antiguos fusiles «Garand". Nos guiaban a golpes hacia un extremo del patio rodeado por una cerca de alambre. Ya adentro mi cerebro pudo reaccionar, pensar. Como ganado nos habían sacado, galera tras galera hacia el encierro del patio, éramos casi 1000 hombres. Respiré el fresco de la mañana que traía el aire de mar que no veíamos.

La fortaleza de San Carlos de la Cabaña, popularmente conocida por «La Cabaña» a secas; estaba en una altura a la entrada de la bahía enfrente de la Ciudad de La Habana, al lado del castillo del Morro, con su farola que seguía iluminando el camino a los barcos. Los españoles la construyeron para proteger a la ciudad después que los ingleses la invadieron en el siglo XVIII. Todavía estaban los cañones, las murallas, las garitas, las galeras.

Ahora era prisión política.

Alrededor de la prisión estaba un cuartel del ejército. Estábamos en el patio de la antigua guarnición española, a un lado estaban las galeras, que con ocho túneles hambrientos se adentraban en las entrañas de piedra. Eran arcos abovedados con un grueso techo cubierto de piedra y tierra, para proteger a los soldados españoles de las «bolas» de hierro de los cañones coloniales. Del otro lado del patio la antigua muralla con dos o tres cañones de hierro medio oxidados recuerdos del pasado. Al final de cada galera había una puerta ventana con gruesos barrotes que daban hacia el foso que rodeaba la fortaleza. Las galeras tendrían quizás cien pies de largo por 20 de ancho y quizás 10 de alto.

Pasaba algo. Por el techo caminaban varios guardias emplazando 2 o 3 ametralladoras de trípode. Los comentarios en voz baja saltaban a mí alrededor:

–Hay buenas noticias, parece que se tiraron.

–Se ve que están nerviosos. Mientras no les dé por ametrallarnos aquí, no hay problema...

Vienen buscando el «radiecito» que la familia de alguien había logrado pasar durante una visita, escondido dentro de un gran pastel de guayaba. Por las noches podíamos escuchar a través de la onda corta, noticias «de afuera» que enseguida se diseminaban de boca a boca.

Virgilio se me acercó disimuladamente y me anunció que por la madrugada había desembarcado el grupo de cubanos que estaba entrenándose en Guatemala, entre ellos mi hermano, había pocos detalles. Parece que era por el sur de la isla, una playa que la llamaban Girón y si descubrían el radio, nos quedábamos incomunicados.

Al poco rato los altavoces que daban al patio pidieron silencio. Leyeron una lista de nombres: tenían que estar preparados para juicio. El silencio ensombreció el patio. Alberto, Virgilio y yo estábamos en la lista. Virgilio me miró fijamente sin expresión, el sol naciente reflejó en sus ojos oscureciendo el verde claro.

La requisa terminó. El tiempo se acortó confusamente. Nos vestimos, subí a mi litera y escribí una carta de despedida a mis padres y a mi novia. Virgilio en la litera de abajo terminaba las suyas. Alberto me miró con tristeza. No hablábamos, nadie nos hablaba.

XXVI

Boris repitió en su mente las palabras de Joel: pregúntale y sales de eso.

La rueda del jeep cayó en un gran bache en medio de la calle. Joel se asusta de la manera errática que manejaba su amigo.

—Mira mejor déjame aquí y yo sigo a pie hasta la casa

El joven volvió a concentrarse. La preocupación por la madre lo mantenía callado, ahora unido a lo que se decía de Molina. Eran muchas cosas juntas no podía detenerse en ninguna. Estaban pasando muchas cosas al mismo tiempo que le quitaban la tierra debajo de sus pies.

—¿Qué te pareció lo de la asamblea en Bejucal, lo que pasó con el viejo ese, Jacinto?

Boris demoró en reaccionar, el amigo insistió.

—Sí, sí, tú sabes. Yo sé que no podemos entrar en eso de dudas y diversionismo ideológico; pero lo que planteaba el viejo tenía sentido ¿no crees?

Joel tenía suficiente confianza con el amigo para entrar en este tema aunque pocas veces se hablaba; la revolución era la única vía que conocían y había que defenderla.

–No sé, Joel, quizás tengas razón. Tú sabes que se cometen errores. Es bueno darse cuenta, así no los volveremos a cometer; por otro lado, el Raul ése, al final, habló bien de Jacinto.

–No seas ingenuo. Tú sabes que nos enseñaron que ésa era la táctica para quedar bien a los ojos de los demás, decir que era un gran hombre pero... los que despedazamos a Jacinto fuimos nosotros. Eso me hace sentir mal.

Boris guardó el silencio de la duda. Se sintió como un niño esquimal dentro del iglú de hielo en que había crecido, sin salir, sin ver afuera. El iglú le quedaba estrecho a medida que crecía, pero no podía hacer nada; mientras más crecía, más pequeña se convertía la puerta de salida. Estaba aprisionado. Llegaría el día que no pudiera salir. Tendría que destruir las paredes de bloques de hielo. ¿Y después, qué? Siempre le habían dicho que afuera había mucho frío: perecería, además, los osos lo matarían. ¿Para qué cuestionarse lo que no tiene solución?

–Acelera compadre, pareces un viejo manejando.

Despertando del letargo, aceleró y el viento en la cara le despejó las telarañas que le oprimían. Dejó a Joel en su casa y en vez de regresar, decidió dar un paseo. Disfrutaba manejar. Sentir el viento en la cara entumece los sentidos: ir donde quisiera, cuando quisiera. Dio una vuelta por el barrio residencial de Miramar, le gustaba ver las grandes casas que fueron de los burgueses de antes; algunas se conservaban intactas con los jardines arreglados, ahora eran consulados extranjeros o las tenían «los pinchos», como le decían a la alta jerarquía militar cubana. «¿Cómo sería la vida de esa gente, serían tan hijos de puta como dicen», pensó. Sin darse cuenta, como jinete que suelta las riendas para que el caballo vaya a donde quiera, se decidió por una gran avenida bordeada de palmas reales. «Por aquí vive Molina». Pasó delante de la casa, la cerca cerrada y un guardia haciendo posta en la puerta. No se detuvo. El fresco del paseo lo animó. Regresó, disfrutando la libertad que le daba el tener un carro cuando lo pedía. Al cruzar el túnel bajo el río Almendares, que unía Miramar con el Vedado, en vez de ir para la casa decidió continuar por el malecón; había entrado un ligero «frente frío» y las olas chocaban contra el muro explotando en esculturas de espuma.

Había poca gente sentada en el muro. Reconoció a una de ellas: era Sebastián. Ahí estaba en el muro, mojándose por el salpique de las olas. Podía parar, hablar con él o seguir a la casa y hablar con la madre. Tenía miedo de esta última alternativa, podría herirla. Confiaba ciegamente en ella, además quizás Sebastián podía aclararle algo.

Detuvo el jeep junto a la acera.

145

–Está entrando un frente frío, –le dijo a Sebastián que estaba absorto mirando el mar.

–¿Qué?

–Parece que está entrando un frente frío. Mire, en aquella parte no salpican tanto las olas, ¿vamos? Quisiera hablar con usted.

Sebastián todavía con la visión de «la Cabaña» lo acompaña y se sientan en el muro húmedo de salpique salado.

La confusión volaba alrededor de la mente de Boris como buitres buscando carroña.

–¿Donde conoció a mi madre?, –la pregunta sonó a disparo.

–La conocí de casualidad, a través de tu abuelo Pablo. Le decíamos Pablito porque era bajito; sin embargo fue un gran hombre.

Boris asiente. Le vienen a la mente los pocos cuentos que le hacía la madre y afirma convencido:

–Y un gran patriota. Hubiera aportado mucho a la Revolución.

–Honesto, luchó por lo que quería.

–Por la revolución, –afirmó convencido y agregó divagando: –todos los peligros que pasó para morir en una cama... del corazón.

Sebastián se desconcierta, lo mira intrigado y comprende que ésa era la historia que le habían hecho. No quiso destruirla y agrega:

–¿Sabes?, él fue al ataque del palacio presidencial para ajusticiar a Batista, fueron los muchachos del Directorio 13 de Marzo...

Boris lo interrumpe y pronuncia el nombre de José Antonio Echeverría para que viera que sabía la historia y que José Antonio era estudiante de arquitectura y presidente de la Federación de Estudiantes Universitarios. Fue el alma de esa acción, continúa, y murió baleado por la policía ese mismo día. Sebastián no le presta atención pero comenta:

–... fue una acción heroica, muy pocos escaparon vivos, entre ellos tu abuelo... para después, como tú dices, morir de esa forma. ¿Irónico verdad?

–¿Es verdad lo de Batista?

–¿Cuál de las cosas?

–¿Que dio un golpe de estado, que quería convertir el país en un prostíbulo turístico y casinos de juego, junto con la mafia?

–Eso es lo que se dice pero lo terrible es que acabó con la legalidad del país, impuso su régimen matando y torturando, –Sebastián hace una pequeña pausa y continúa más animado por coincidir con lo que Boris pensaba. –Sabíamos lo que no queríamos pero no teníamos claro lo que queríamos. Creímos que la Revolución era la respuesta...

–¡Lo fue! –afirmó categórico Boris que se sentía más animado de que las palabras de Sebastián afirmaran sus valores revolucionarios.

–¿Lo es?

Le hizo la pregunta mirándolo fijo, estaba entrando en terreno difícil, pero continuó.

–Todo fue muy confuso, Boris, a diario salían leyes nuevas. Juzgaban a personas inocentes y las condenaban. Si discrepaban, las acusaban de imperialista y gusano. Todo fue muy rápido, en menos de dos años. Los mismos que lucharon se rebelaron porque la Revolución no iba por buen camino, no era por lo que habían luchado.

El joven teniente comenzó a sentirse incómodo. Estaba entrando en lo que él creía que era diversionismo ideológico, tenía que contestarle, podía ser otra prueba. Tenía que reafirmar sus convicciones revolucionarias y dijo tratando de ser lo más convincente posible.

–Mi abuelo luchó y trabajó mucho por la revolución. ¿Dónde lo conoció usted?

Sebastián ya estaba sumergido en aguas pantanosas, pero decidió continuar, no podía ocultar la verdad. Señalando la fortaleza de La Cabaña dijo muy pausadamente:

–Allá arriba.

La molestia iba en aumento sin embargo quería saber más.

—¿De qué habla usted?

—¿Sabes qué pasó el 17 de abril de 1961?

—Claro, la invasión de los mercenarios yanquis por Bahía de Cochinos.

Sebastián suspiró como un pez fuera del agua tratando de sacar el oxígeno de la espuma de las olas. No quería romper la relación con este joven revolucionario que por su edad podía ser su hijo. Por fin decidió aclararle la verdad:

—No eran mercenarios, eran cubanos; muchos estudiantes, jóvenes como tú.

—Mire Sebastián no sé de dónde sacó eso, ni me interesa, lo que está diciendo es falso, está confundido. ¿Quién le metió esos cuentos?

—Mi hermano vino ahí, tenía tu edad, lo mataron. No eran ni batistianos ni americanos.

Boris decidió no continuar esta conversación, fuera verdad o mentira, habían pasado muchos años y todavía tenía dudas de si esto era una trampa. Era mejor tratar de averiguar sus incógnitas sobre su madre, sobre Sebastián, sobre su abuelo.

–Mire, vamos a dejar esto. Quiero saber de mi abuelo: ¿cómo era, sus amigos, qué hizo? Mi mamá me habla poco de él. En definitiva tengo derecho a saberlo.

–Estuvimos allá arriba en La Cabaña, presos con su mejor amigo, Ibrahim, el padrino de tu mamá.

–Eso no puede ser, Batista nunca tuvo presos políticos en La Cabaña. Estoy seguro.

–Tienes razón, no fue en la época de Batista. Él luchó aquí, en La Habana, en contra de esto. Los sorprendieron en un carro cargado de armas, los persiguieron, se defendieron a balazos, pero el carro chocó y los capturaron.

Ya era demasiado. Intentó rechazar las palabras que penetraban hasta lo profundo de sus huesos.

–¿Qué dice? ¿Está loco? Mire, mi abuelo luchó mucho por esta revolución, ¿cómo iba a traicionarla? –Preguntó casi a gritos. Dos muchachas que pasaban por la acera lo miraron sorprendidas.

–Él no fue quien la traicionó.

–¡No me diga! No me venga con eso de la traición. ¿Quién le ha dicho a usted esas cosas? Está equivocado.

Sebastián con tono pausado trató de calmarlo. Hace una pausa. Mira al mar. No quiere traumatizarlo más, se da cuenta que le está haciendo daño, por otro lado no quiere engañarlo. Tiene derecho a saber la verdad.

–El mismo día de la invasión fusilaron a tu abuelo, a mi amigo Virgilio y a otros seis.

–¡Usted es un mentiroso! ¡Aquí no torturan ni fusilan a nadie!

–Boris cálmate, entiende: yo estaba ahí.

El joven teniente sintió miedo, miedo de lo que aquel hombre decía. Con la respiración alterada corrió hacia él jeep, cerró de un portazo y arrancó patinando las gomas. La cabeza quería explotarle. Aceleró para huir de su confusión. Intentó reafirmarse repitiendo como una canción infantil., ¡no, no!, eso es mentira, eso es mentira... En su huída casi atropella a varios transeúntes que le gritaron: «hijo de puta». Se sentía humillado, engañado, indefenso. Esas palabras eran bloques de hielo que apretaban furiosos sus músculos. Ese hombre ha tratado de agrietarle su mundo: universo perfecto. «¿Y quién es él?, ¿de dónde salió?, ¿qué busca? Por eso mamá se puso así, es mentira, es mentira»

Las calles transversales pasaban tan rápido como la incertidumbre. Era incapaz de aceptar que el padre de su madre fuera traidor. Tampoco podía aceptar que su madre no lo hubiera dicho antes la verdad, si ésta fuera la verdad. Ella siempre la había dicho la verdad; confiaba ciegamente en ella. Y ahora ese viejo, a pesar de su hablar tranquilo, de ojos tristes y a quien sólo conocía hacía unos días..., no, no tenía por qué creerlo. Los recuerdos, las incógnitas, le hacen descender la marcha. Dobla sin rumbo por varias callejuelas. Ve un cartel que dice «Bar». Se detiene y entra.

La música demasiado alta lo aturde y alivia. Varios hombres de pie frente a la barra toman cerveza y conversan a gritos. Algunas parejas bailan el ritmo contagioso de los «Van Van». Algunos se voltean para mirarlo, todavía llevaba puesto el uniforme de oficial y pocas veces los oficiales frecuentaban los bares. Pide un ron que traga de un golpe.

Él nunca toma, y el ardor en la garganta apacigua el fuego interno. Pide otro y se siente mejor. A su alrededor los hombres siguen riendo hablando de imaginarias conquistas amorosas. Nadie oye lo que dice el otro, a nadie le interesa, sólo desean hablar de ellos, escucharse; ahogar frustraciones y angustias frente a alguien, como hacen a los psiquiatras y a los sacerdotes.

La música ensordecedora ayuda a las confesiones públicas porque nadie las oye.

Boris no encuentra con quien hablar, nadie se acerca a un oficial del ejército por miedo. Se concentra en la letra de las canciones de la vitrola siempre el mismo tema: la mujer que lo abandona por otro, no hay amor más grande que el de madre, las mujeres siempre traicionan. El aturdimiento de alcohol y música van provocando la sensibilidad de los sentidos. La alegría obligatoria del bar lo va contagiando. La lucha interna se opaca con quietud de niebla. Pide otro trago que saborea despacio, ya no se siente tan ajeno al resto. Las parejas vuelven a bailar al ritmo de los tambores. Las hormonas adormecidas van despertando; las piernas y la cintura comienzan a seguir el ritmo.

XXVII

Quedé sólo en el muro del malecón mirando hacia la amplia calle por donde se había ido Boris. Poco a poco las luces de la ciudad aparecieron para avergonzar la noche. «¿Qué estoy haciendo, qué he hecho?», una voz interna me machucaba los tímpanos. «Han pasado muchos años. No existimos. No le interesamos a nadie. Mis amigos y mi familia se encontrarán con un ser extraño. Yo ya no soy yo». Los carros circulaban ocasionalmente frente a mí en lo que antes era un populoso paseo junto al mar. Parejas, cogidos de la mano, caminaban abrigadas defendiéndose del viento frío. Hablaban el nuevo idioma cubano. «Es mi ciudad pero ellos son distintos, viven al día, no hay mañana y se avergüenzan del ayer, no quieren que exista. La venganza no es dulce ¿será venganza? ¿Lo estaré haciendo por resentimiento, por odio? La verdad hiere, molesta; es más fácil la mentira», le pregunté al mar.

Me di vuelta y miré al final del malecón, o al principio, siempre tuve la duda de dónde comenzaba. Detrás del azul oscurecido. La fortaleza de La Cabaña se había ido entre las sombras de la noche, la farola del Morro persistía con su luz intermitente, girando siempre, implacable, iluminando la ciudad. El frío me penetró en la piel y decidí esconderme en el hotelucho. No podía dormir. Por la ventana grande del cuarto entraban los ruidos propios de la ciudad que se prepara a dormir. Sin embargo, escuchaba otros sonidos: las cadenas y los candados de La Cabaña ese 17 de abril como en una casa embrujada donde los fantasmas, para burlarse de los vivos, arrastran las cadenas oxidadas.

Nos llamaron a la reja. Caras silenciosas nos despidieron con una palmada en la espalda. Ibrahim nos detuvo un instante. Su compañero de causa llevaba dos días en «capilla», esperando para ser fusilado. Apenado y con profunda tristeza dijo:

–Miren, yo sé que ustedes van para «capilla» y no van a regresar ¿pueden darle esta cartica a Pablito? Él está solo. Agregó como disculpándose.

Para salir del patio cruzamos otra reja y nos esposaron. Seis guardias nos escoltaron por calles dentro la fortaleza hasta la entrada principal; al cruzar el puente levadizo miramos el foso que rodeaba toda la fortaleza. En el muro se distinguían las ventanas de las galeras. Descendiendo por la calle y abajo en el polígono se preparaban camiones cargados de soldados, tanques de guerra, cañones. A lo lejos, un pequeño edificio de dos pisos era la sala de juicios.

El nuestro duró 20 minutos interrumpido a veces por el ruido de los tanques de guerra que se dirigían apresuradamente hacia Girón, Bahía de Cochinos, a repeler la invasión.

En silencio regresamos en cortejo a la fortaleza. Al cruzar de nuevo el foso no resistí la tentación de mirar, abajo pegado a la muralla, estaba el palo donde amarraban a los que iban a fusilar; detrás habían puesto unos sacos de arena. «Será para que las balas no dañen la muralla», pensé.

Alrededor del patio de las galeras habían instalado más ametralladoras sobre los techos. Llegamos al área del patio; algunos presos con caras tristes nos saludaron de lejos. El silencio era pegajoso.

Nos llevaron a través de una reja a otra galera envuelta en tinieblas que servía de dormitorio para la guarnición. Mientras nos quitaban las esposas, Virgilio, señalándome, le dice a uno de los guardias que nos traía.

«A él nó, él es menor de edad, le piden 30 años».

La respuesta fue cortante: «los tres tienen pena de muerte», Me alegré porque así podíamos seguir juntos.

Hacía tiempo que en «capilla» sólo podían estar los que iban a fusilar. Si había algún preso castigado, lo sacaban. No querían testigos. Pasamos por un pasillo poco iluminado cerrado por otra reja con un grueso candado. Todo sonaba a hierro oxidado.

La «capilla» era una galera que habían dividido en celdas de castigo: tres a cada lado con un pasillo del medio. La llamaban así porque decían que fue una pequeña capilla para los soldados españoles. Ahora es el equivalente al Pabellón de la Muerte; como fuere, esa «capilla» es nuestra cubana versión que por herencia inconsciente afirma que de ahí se pasa a la vida eterna.

Cruzamos la reja y otro candado. Una lámpara de luz fluorescente en el techo del pasillo, iluminaba las sendas. De las rejas-puertas de las celdas salían manos y pedazos de caras apretadas contra los barrotes que nos miraban diagonalmente con un ojo. Nos abrieron la primera a la derecha, estaba vacía.

Una voz conocida nos saludó llamándonos por nuestros nombres. Era Pablito, detrás de él estaba Ibrahim sonriendo.

—¿Qué tú haces ahí?, —le preguntó Virgilio.

—Nada, vine para que Pablito no se apendejara.

Como saludo les tocamos las manos que tenían aferradas a los barrotes de la puerta. El guardia nos metió en la celda. Esperamos que se fuera para poder hablar.

–Yo era el único con pena de muerte, a Ibrahim le pedían 30 años de prisión, parece que no les gustó la cosa y le subieron a pena de muerte, así como así, –dijo Pablito.

–¿Quiénes más están aquí?, –pregunté. De las otras celdas respondieron distintas voces saludando, entre ellas Lázaro y su compañero de causa «el marciano». Eran guajiros de un pueblo cercano a la Habana. Le decían así porque desde que llegó a La Cabaña se hizo pasar por un extraterrestre. Dibujaba naves espaciales en las paredes y describía con lujo de detalles la vida en su planeta; tenía mirada de loco. Trataba que no lo juzgaran, haciéndose pasar por loco, con la esperanza de clemencia, porque le habían ocupado a él y a Lázaro varias «patas de elefantes»: bombas hechas con un pedazo de tubo de metal lleno de dinamita. Su historia no convenció al tribunal revolucionario que los condenó a pena de muerte.

Al poco rato el crujido de hierros volvió a sonar. Ahora traían a un muchacho, quizás de 20 o 21 años, flaco, muy pálido, que contrastaba con una negra cabellera, y lo pusieron en nuestra celda. Virgilio le da la bienvenida y nos presentamos. Se llamaba Tony que inmediatamente empezó a protestar:

−Yo no sé qué hago aquí, porque yo soy inocente. Reímos todos porque casi todo el mundo decía lo mismo: que eran inocentes, que no habían hecho nada. Le explicamos que aquí no había ningún espía (ningún chivato), que podía hablar francamente.

−No entienden, de verdad que yo no estoy metido en nada.

Tony contó que lo habían detenido con su novia en un carro que le habían prestado, habían bebido. Que nunca le había interesado la política. Le interesaba disfrutar la vida. De ahí lo metieron en una celda del G-2. Lo trajeron hoy. Lo acusaron de haber puesto una bomba en la tienda por departamentos «El Encanto». Había un testigo: un miliciano había visto a uno parecido a él cerca de El Encanto esa noche.

−Pues te jodieron, −comentó plácidamente Alberto.

El salpique de las olas se confundía con el sudor frío del rostro. Quería olvidar y no podía; disfrutaba recordar, era masoquismo. No podía olvidarlos, escuchaba claramente sus voces.

Desde la celda de enfrente Pablito le grita:

−A lo mejor te salvas, si la gente de la invasión llega a tiempo.

–La noticia del radiecito decía que era por el sur, por la ciénaga de Zapata, agregó Ibrahim.

–Eso está lejos, creo que no van a llegar a tiempo, –comentó Alberto, como quien comenta que el día está nublado.

–Pero parece que los americanos están apoyándolos, dijo «el marciano» desde su celda.

–No confíes en ellos, –sonó la voz fuerte de Ibrahim.

–Ibrahim tiene experiencia, es perro viejo, luchó en el 33 contra Machado, casi un niño, después contra el dictador y ahora contra el comandante. Ha estado preso tres veces y hasta ahora ha salido bien.

Era Pablito completando lo dicho por Ibrahim; eran los polos opuestos: Ibrahim era alto, canoso, pelado corto, de voz grave y pausada. Pablito, bajito, cabellos muy negros, frente ancha de entradas pronunciadas, extrovertido, ocurrente, vivaracho. Actuaba y después pensaba; habían sido amigos por mucho tiempo, Ibrahim era el padrino de su hija. Habían luchado contra todos los gobiernos corruptos, amaban a Cuba y sabían que el país merecía un destino mejor.

–¿Pero ustedes están locos?, –exclamó asombrado Tony.–Jugándose la vida todo el tiempo ¿para qué? Nadie se los va a agradecer. La política es muy cochina.

Pablito le contestó con una imagen casi poética, «cuando le coges el gusto es como montar a caballo, te sientes mejor al galope. La brisa en la cara, la libertad y después no te quieres desmontar».

Tony no intentó comprenderlos. Al verme triste, sentado en el camastro, trató de consolarme creyendo que tenía miedo a la muerte, me dijo que mirara el lado bueno de la cosa.

–¿Cuál?, –lo interrumpe Alberto metiéndose en la conversación.

Virgilio escuchaba el diálogo indiferente y le aclaró a Tony que yo estaba así porque era el único que iba a salir vivo. El guardia que nos trajo se equivocó. Hasta ahora no habían matado menores de edad y yo acababa de cumplir 18.

Todos callamos, los candados se abrieron.

En el pasillo apareció un sargento con ínfulas de General. Bajito con una fuerte barriga, pelo negro encrespado, poca frente y labios gruesos. Traía unos papeles. Repartió a cada uno sus sentencias y nos explicó que si queríamos apelar la firmáramos y la dejáramos ahí, que vendría más tarde a recogerla, total, daba igual. Se alejó marcando sus pasos con tacones metálicos apoyando su mano en la pistola que tenía en la cintura. Al final de cada papel después de la palabrería legal decía «pena de muerte por fusilamiento». Yo no pude leer el mio. Virgilio me lo arrebató. Me miró con los ojos aguados y me dijo.

–Tú eres muy joven para morir.

Me pedían 30 años en prisión de máxima seguridad y 30 años de prisión domiciliaria. Virgilio respiró aliviado.

–¿Quién era ése?, –preguntó Tony.

Ibrahim le explicó que era el famoso sargento Molina: Isidro Molina, el que da los tiros de gracia, con la pistola que tenía en la cintura.

–Con esa pistola tan chiquita, no tiene balas para todos nosotros, –reflexiona ingenuo Alberto.

–Pues sí, es una Makarov de trece tiros. Dicen que se la regaló el Che como premio por todos los fusilamientos que dirigió al principio.

Tony, que terminó de leer su sentencia de muerte, preguntó con una expresión extraña:

–¿Qué es eso de los tiros de gracia?

–Es por si te quedas vivo, viene él, te la pone aquí (señalando la sien) y pum... –explica Virgilio.

–No tiene nada de gracia.

Virgilio empezó a rezar el rosario, que todos contestamos. El eco resonando en el techo en arco, lo hacía más solemne. Quizás también porque sería el último y revivíamos nuestro pasado, los últimos tiempos, lo intenso de la lucha clandestina, las esperanzas que se agotaban. Durante un Ave María, viendo con la sangre fría con que Virgilio dirigía el rosario recordé, reviví, varias misiones que vivimos juntos. Cuando terminamos de rezar el rosario permanecimos en silencio. No había nada más que hablar. La tensión la rompe Alberto, parándose de golpe y esgrimiendo el papel de la sentencia como una espada gritó:

«Me cago en la madre de la puñetera gitana».

Quedamos asombrados ante esa reacción. No logré adivinar si estaba realmente enfadado o fingiendo.

–Hace seis meses, en una feria, una gitana me leyó la mano y me dijo que iba a tener una vida larga y feliz.

XXVIII

El jeep de Boris se detuvo en una calle estrecha de La Habana vieja, a ambos lados casas centenarias, abochornadas de su ancianidad, que la hacen parecer más estrecha. La planta baja cerrada por portones de madera maltratados por el tiempo, obligan a levantar la vista hacia los balcones desdentados, algunos con muletas de vigas de madera que intentaban demorar su inevitable desplome.

Boris tocó la aldaba de bronce sucio en forma de mano cerrada; desde el balcón, la voz de Daisy pregunta y la puerta se abre a una empinada escalera recta. Arriba, Daisy todavía sostenía la cuerda con la que abrió la puerta y exclamó: ¡Alabao!, manera criolla del «alabado sea el señor» español.

Daisy vivía en la planta alta de una gran casa colonial, que con el tiempo se había dividido en cuatro, con divisiones de tablas más o menos bien hechas. La parte de Daisy era la mayor, constaba de un antiguo cuarto de la mansión y parte del comedor donde tenía una pequeña salita y una mesa con dos sillas. La gran habitación era su mundo, sobre todo porque las gruesas paredes y puertas garantizaban la privacidad que necesitaba. Además estaba al lado del único baño compartido entre las cuatro familias. Esa sección de la casa la había heredado de su madre viuda, que había abandonado el país hacía cinco años con un enamorado y nunca más supo de ella. Tampoco podía averiguar nada como buen «joven comunista» que era. El partido fue su familia, le convenía, era fácil, tomaba decisiones por ella.

La joven, pasado el asombro, lo invitó a subir reclamándole que la última vez que había estado en su casa había sido con Iraida. Le intrigó el olor a alcohol que tenía Boris. Entraron en la habitación, ella con su ondular caminado sensual, él, encorvado arrastrando los pies.

—Oye ¿qué te pasa? ¿Te mordió un perro? Por lo menos salúdame.

Ella nunca imaginó que él viniera solo a su casa y, menos aún, borracho. Algo grave le pasaba. Le satisfacía saber que venía a ella.

Boris sin expresión le pidió un poco de ron y se sentó en un sillón al lado de la antigua cama de cabezal barroco de caoba, quizás también parte de la herencia.

—¿Cuánto has tomado? Hueles a rayo; pero bueno, bienvenido a casa, —le dice cariñosa mientras prepara un vaso de ron.

Boris se lo toma de un golpe y pide más.

–Aguanta, aguanta que no queda mucho y tiene que durar. ¿Qué pasa?. –Se sienta en la cama, cree que Iraida lo ha dejado por un ruso. –Habla, descarga, que eso es bueno, le dice dulcemente.

Boris se demora en contestar:

–Quizás no es verdad.

–¿Y qué cosa es verdad o no es verdad?

–No sé. Dice negando con la cabeza.

–¿Qué es lo que no sabes?

La traspasa con una mirada vacía. Su mente estaba lejos, oía las palabras de Daisy pero sin entenderlas.

–No es para tanto, hay muchas Iraidas.–Al no tener reacción Daisy continúa:–¿se desplomó tu universo, el futuro? Aquí estoy yo para consolarte. Te voy a preparar otro trago y te acompaño.

–Es que no sé si es verdad. Sebastián me lo dijo pero no puedo creerlo.

–¿Quién es Sebastián?

–¡Qué importa quién es Sebastián! No puede ser verdad.

Daisy quiere ayudarlo. Por primera vez enfrenta a un Boris indefenso, derrumbado, sin la armadura del revolucionario perfecto. Le explica que también a ella le ha pasado, que se derrumba todo a tu alrededor, que te sientes como un paño de piso, sucio, estrujado, inservible. Justamente, el otro día, un amigo vino con la misma cantaleta: que si es verdad, que si no es verdad: confundido.

–Sí Boris, confundido. A todos nos pasa en un momento de la vida, tú has tenido suerte. Es hora de crecer.

–Pero ¿por qué no me lo dijo? Ella tiene que saberlo, –refiriéndose a Carmen.

–¿Tú eres comemierda? ¿Cómo te lo va a decir?, –refiriéndose a Iraida.

–Diciéndomelo, yo ya no soy un niño.

–Aterriza, pasa la página y sigue.

La mira enfadado, Daisy le vuelve a hablar más comprensiva. Le dice que esas cosas pasan, que no es el fin del mundo. Te confías en algo o alguien y cuando descubres la verdad te sientes como la mierda. Boris no responde. Mira fijo el vaso de ron.

–Tómalo con calma, lo que pasa es que tú no estás acostumbrado, la vida te ha sido fácil, eras el puro, el incorruptible. (Sonríe nerviosa). Bueno, ya se acabó. Cambia la cara.

Se le acerca, le acaricia la cara. Él la rechaza. Se levanta pone el radio, busca una estación de boleros románticos y los dos quedan en silencio descifrando la letra de la canción. La habitación tenía una temperatura agradable que contrastaba con el frío de afuera. La música y el ron ejercieron un efecto sedante en los dos. Ella se levantó a bailar sola dentro del cuarto con movimientos suaves y ondulantes, apretando a un compañero imaginario.

–Ven vamos a bailar, –dijo secamente, casi como una orden.

Al principio se resiste, pero se deja llevar. Empieza otra canción y los dos se aprietan cuerpo a cuerpo. No se dijeron nada más. La música empalagosa los hacía mover como un corcho en una mar calma. Él recostó la cara en el hombro de ella, escondiéndola. Al levantarla tenía los ojos mojados de lágrimas que ella lamió como la perra que limpia a su cachorro recién nacido.

La ternura devino en pasión. Los cuerpos buscaban confundirse, entrar uno dentro del otro. Las manos buscaban ávidas su propio cuerpo en el del otro. La ropa se disolvió entre los dedos hambrientos. La piel hervía de lujuria. Cayeron sobre la cama con un gran salpique de sábanas. La música dejó de oírse. Las bocas continuaron agresivamente la investigación empezada por las manos, inaugurando colinas, valles, bosque, volcán de suave seda envueltos en llama. Ella gemía de placer. La fue recorriendo, desesperado, buscando el centro, hasta encontrarlo. El suave ondular se convirtió en un frenesí de tormenta, de desahogo, de dominación, de entrega, de bestia salvaje obligada por el instinto.

Una torrencial ola hirviendo los penetró de placer. Quedaron exhaustos, inmóviles, enredados entre las sábanas.

XXVIX

Regresó a la casa a tiempo para ayudar a Carmen con los recipientes de agua. La ayudó a cargar las pesadas latas de agua que la madre traía todos los amaneceres para las necesidades del día.

La madre estaba sorprendida, primero, porque no era una hora acostumbrada pero además por el olor a alcohol que tenía. Los ojos inyectados de desvelo resaltaban dentro de las ojeras. Quería saber qué había pasado anoche. Él estaba cambiado. Boris esquivó todas las preguntas que le hacía, no sabía por dónde empezar pues, aunque ya estaba calmado, no se decidía. Tenía miedo de que fuera verdad. Miedo de herirla. Ella era todo para él, un extraño no podía deshacer una vida, podía ser todo una mentira.

El café caliente que ella le preparó le dio fuerzas.

–Mamá ¿qué le pasó a abuelo?, –preguntó, deseando una respuesta tranquilizadora.

Ella evasiva cambió el tema, hablando de cosas cotidianas, mientras de reojo inspeccionaba el rostro de él, que mantenía una expresión dura.

–¿Qué le pasó, mamá?

Carmen, más compuesta, empezó una pequeña narración sobre lo resentida que estaba de su padre porque tenía otras prioridades antes que ella, por eso no le gustaba mucho hablar de él.

–El otro día vi una foto que dejaste en la cama en que estás con él. Hay mucha ternura entre los dos

–Sí, sí no me malinterpretes, me amaba con locura y a mamá también.

–¿Y entonces?

–Hijo, porque nos abandonó; me abandonó. Todavía me duele.

–Pero él no tuvo la culpa.

Carmen no le hace caso; continúa sus labores cotidianas. Él la sigue en silencio esperando una respuesta que no viene. Ella, visiblemente nerviosa, hablaba de los comentarios que hacían las viejas en la cola del agua. En un momento de su trajinar, Boris se para enfrente de ella y no la deja pasar. La cara desencajada reflejaba la noche de desvelo y bebida. Carmen aprovecha para cambiar el tema y le dice que le va a preparar otro café bien fuerte, que se alegraba de que se divirtiera, que pronto se iba a sentir mejor.

–Pero él no tuvo la culpa, ¿no?, –volvió a preguntar.

–No, claro que no.

El joven teniente percibió la mentira y le dice:

–Fui al cementerio y en la tumba de abuela solamente está su nombre. ¿Dónde está abuelo?

El nerviosismo de ella la hace romper una tacita de café.

–Mira como me has puesto. Ya te dije que dejaras eso. Fue hace muchos años. ¿Por qué te preocupas ahora?

Boris le explica que ayer se había encontrado con Sebastián, que le había dicho muchas cosas, cosas del pasado, de su abuelo.

–¿Qué te dijo?, –comenta Carmen alterada. –¿Qué te dijo?

Boris no contestó.

Se hizo un silencio infinito.

Carmen baja la cabeza y rompe en llanto nervioso. Empieza a explicarle que la vida no es tan fácil, que hay situaciones que tienes que vivirlas para entenderlas, y ya lo pasado había pasado, y que era mejor no abrir heridas. Que ahora tenían una nueva oportunidad, que él se había encaminado. Que estaba muy orgullosa de él. Lo que importa es el presente y el futuro. Todo va marchando bien, terminó tratando de sonreír.

Boris mira por un rato a su madre en silencio. La agarra por los hombros con el desespero del náufrago, la suelta y camina agitado sin rumbo entre los muebles de la sala.

–Entonces ¡es verdad! Entonces, me has engañado durante 23 años.

–No hijo, nunca te he engañado, no tenías por qué enterarte. Era mejor así. Déjame a mí el sufrimiento, quédate con lo lindo de los recuerdos.

XXX

Toqué la puerta. Me abrió un tenso frío. Boris con un ademán me hace pasar. En esta ocasión ya tenía preparado lo que iba a decir, quería ser breve, para que no me echaran. Estaba incómodo. En la ansiedad de cumplir la promesa no me percaté, al principio, de los rostros pálidos, ni las lágrimas en las mejillas. Hablé con la precipitación nerviosa de la urgencia; luego, pausadamente, no trasluciendo emoción.

–Carmen, escúchame, mañana me voy afuera a reunirme con lo que queda de mi familia, me dieron la salida. Entiendo como tú te sientes. Fue duro perder un padre a los 15 años...

Ella dándose por vencida desploma sus fuerzas, indica que me siente y le dice al hijo:

–Boris, tu abuelo no murió del corazón. Lo capturaron dos días antes de mi fiesta de 15 años. Lo fusilaron el día de la invasión de Bahía de Cochinos... yo empecé otra vida. Me casé con Ramiro y me integré a la revolución. El pasado, pasó. Nos hace daño, te hace daño, tú perteneces al futuro, déjame a mí el pasado.

Me dio pena, estaba pálido, sin ninguna expresión. Carmen va a continuar pero Boris la interrumpió con una voz muy débil:

–No hay mañana sin ayer, mamá.

Comprendí la situación, había llegado en el momento difícil, no estaba preparado para esto. Intenté suavizar el enfrentamiento entre madre e hijo y dije:

–Boris, discúlpame por lo de ayer, fue muy duro, debí de haber sido más cauteloso, pero me quedaba poco tiempo. Me he debatido todos estos días, pero tenía la obligación, el compromiso, hacia él, fue un gran hombre y deben estar orgullosos de él.

–¿Cómo fue?

Despacio y tratando de ser objetivo comencé la narración cuidando que no me afectara con mis emociones. Les conté cómo nos habíamos conocido en La Cabaña, la admiración mutua, y detalladamente lo que ocurrió el 17 de abril. Los últimos momentos, desde que entramos a «capilla» hasta que el sargento Molina vino a buscarnos. Boris y Carmen estaban suspendidos en el tiempo.

–Había frío, sabíamos que ya era hora. Las cadenas y los candados anunciaron al sargento Molina, como siempre recostado a su pistolita.

Boris reaccionó con un estremecimiento, miró a su mamá y me preguntó:

–¿Isidro Molina?

–Sí, –contesté un poco sorprendido de la reacción al mencionar a Molina, –creo que ahora es coronel. Es el que daba los tiros de gracia.

Boris cayó en un pozo oscuro y sin fondo. El rostro, los brazos, las piernas, todo se ensombreció. El torbellino de incógnitas iba colocando las piezas del gran rompecabezas. Miró a la madre y susurró:

–¿Y lo que dicen que le hizo a papá en Angola?

Carmen escondió el rostro asintiendo.

No me percaté de la palidez de Boris y continué la narración describiendo la actitud de Molina en el pasillo de la «capilla», con varios papeles en la mano.

–Sentimos como un latigazo con el primer nombre: «Pablo Martínez, sal». Pablito salió orgulloso al pasillo, recorrió las celdas despidiéndose y me dejó para lo último. Nos abrazamos «a pedazos» a través de la reja de mi celda. Me hizo prometerle que me ocuparía de su hija: «es joven y no ha entendido que hay prioridades; acaba de cumplir los 15. No he podido estar con ella. Se lo había prometido. Es todavía una niña, cree que la abandoné. Esto es lo único que me entristece ahora. Háblale de mí, que se sienta orgullosa, yo voy a estar ahí arriba mirándola siempre y cuidándola». Mientras me decía esto se sacó del dedo una sortija, me pidió que se la diera, a ella le gustaba jugar con ella, quizás algún día comprendiera. Molina se molestó por la demora. Cortó la despedida y se alejaron. El sonido de un vehículo que se alejaba nos hizo percatar que lo llevaban afuera de la fortaleza, al foso donde estaba el palo clavado. Por toda la prisión se escucharon las voces de mando seguido de una resonante descarga de los rifles seguidos de dos tiros de gracia.

Me di cuenta de que madre e hijo estaban abrazados, llorando en silencio. Tras un corto silencio Boris me preguntó:

−¿Cuántos fueron esa noche?

−Ahí estaba también su amigo Ibrahim, que quería a tu madre como a una hija, Virgilio, Alberto, mis compañeros de causa y otros cuatro. Ocho en total.

Buches de lágrimas ahogaron varias veces mis palabras. Era la primera vez que verbalizaba esos recuerdos.

−El segundo fue Ibrahim, que me dio una carta y una fosforera para su esposa. El sonido de los tacones militares se deslizó entre las rejas y los candados. La descarga de los fusiles y un solo disparo de pistola acercaron el último momento de los que quedábamos.

Virgilio quería darme sus zapatos porque los míos me los habían quitado, tenía unos viejos –quizás de alguien a quien fusilaron– que no me servían. Aceptó mi explicación absurda «así vas a estar más cómodo». Me dio unas cartas para sus padres, su novia, y para el pueblo de Cuba. Me miró fijamente, no expresaban miedo, ni rencor, sólo paz .Y me dijo: «Voy a dar un grito de: ¡Viva Cristo Rey!, ¡Viva Cuba libre!, ¡Viva el Directorio Revolucionario Estudiantil!, que le va a traquetear los cojones». Las rejas y los candados se abrieron. Molina llamó a Virgilio. «Aquí», contestó con voz fuerte. Mientras abrían la reja de la celda nos abrazamos y nos deseamos suerte. ¿Suerte de qué? Todavía no entiendo cómo nos deseábamos suerte; quizás porque era mejor que «hasta luego, o que te vaya bien, o nos vemos mañana».

En la celda quedamos Alberto, Tony y yo. Antes que desapareciera el chirrido de las rejas Alberto se abrazó a mí y con un susurro me dijo «ojalá yo vaya después». El motor del vehículo presagió la descarga. Virgilio cumplió su promesa y los demás presos en las galeras escucharon también su ¡Viva Cristo Rey!, ¡Viva Cuba libre!, ¡Viva el Directorio! A él le dieron tres tiros de gracia.

El cuarto fue Alberto; cuando lo llamaron dijo muy suavemente, como para oírlo él solo: «gracias virgencita de la Caridad»...

En el silencio de «capilla», Tony me comentó que a Virgilio le habían dado tres tiros de gracia; ya lo sabía pero no quise decir nada por Alberto. «De todas maneras lo va a ver con la cabeza destrozada, no tienen tiempo para recogerlos...», dijo Tony. A los demás los van sacando con el mismo ritual inexorable: rejas, candados, nombres, abrazos, «suerte», descarga de fusiles y tiro de gracia.

Me costaba mucho continuar la narración. Ignoraba lo que Carmen y Boris sentían, no los veía. Yo estaba haciendo catarsis.

–El Marciano me impresionó mucho por su expresión de cariño que logró traspasar los barrotes. Salió cantando el himno nacional, lo fui escuchando, apagándose lentamente, hasta que el motor del vehículo aceleró.

El último fue Tony mi otro compañero de celda. Me abrazó fuertemente y me pidió que contara los tiros de gracia que le iban a dar y que se lo dijera allá arriba. Ya, afuera de la celda, se despidió diciéndome: «no olvides que estás viendo morir a un hombre inocente».

Quedé sólo.

Del bolsillo saqué la sortija de Pablito con la piedra rojiza, la puse en la mano de Carmen, le cerré los dedos suavemente, con mucho cariño, y me fui.

XXXI

Fue noche de fantasmas, volaban por el malecón obscureciendo la puesta de sol púrpura y naranja. Subían por «la rampa» tocando a las puertas de los corazones que se negaban a abrir. La Habana enmascaró las arrugas de la cara para el carnaval, para el funeral, para el destino.

Los fantasmas aleteaban sus restos de mortaja cual vampiros hambrientos. No reían, ni lloraban, estaban muertos, con la larga cicatriz en el vientre. Arrastraban las cadenas por las calles para burlarse de los vivos.

Fue noche negra como la desesperanza. Noche de vacío de catedral, de pirámide, de ilusiones marchitas, de pasado sin futuro.

El aquelarre reunía más invitados a medida que transcurría la noche. Salían de los sueños, de las pesadillas, de las frustraciones, de los odios, y de los amores.

Fiesta de brujas sin baile de máscaras.

EPÍLOGO

Desde la oscuridad, dos ojos cargados de odio, sobresalen de un pasamontañas negro. Se baja del jeep verde mate de techo de lona verde y se desliza cautelosamente hasta la casa de dos pisos y techo de tejas. Busca el punto más vulnerable de la cerca que la rodea. En el portón de entrada, el guardia sentado en un taburete recostado a la cerca, trata de mantenerse despierto fumándose un cigarrillo.

La sombra logra saltar la cerca, se arrastra con una mochila a la espalda escondiéndose de la claridad de un bombillo huérfano, hasta el costado de la casa. Aguardó unos instantes para escuchar a los grillos. De la mochila saca algo que prepara con precisión obsesiva.

El jeep del coronel Molina, con sus reflectores en el techo, estaba parqueado enfrente de la casa, apartado del guardia. La sombra se arrastró hasta debajo del vehículo. El guardia de la entrada seguía disfrutando su cigarrillo.

Sebastián estaba listo antes de la hora. Tomó un poco de café frío y montó en un taxi enfrente al hotelucho. Amanecía rápido, demasiado rápido. El taxi atravesó la banda rumbo al aeropuerto. Era el sueño o la tristeza que no le dejaban sentir el trayecto hasta las afueras de la ciudad.

En el aeropuerto recorrió varios guardias que inspeccionaban los papeles y lo mandaban a otro, hasta que terminó en un salón rodeado de cristales con algunas personas adentro. Afuera, los familiares se pegaban a los cristales para alargar la despedida quizás para siempre. En la pista, el avión los observaba inmóvil.

La sombra recorrió su silencioso arrastrar hasta la cerca. El guardia permanecía recostado en el taburete. Los primeros rayos del sol le avisaron que tenía que apresurarse; saltó hacia los matorrales que rodeaban la casa y como una serpiente se alejó hasta llegar al jeep ruso, parqueado bajo un árbol a corta distancia de la entrada de la casa. Por el espejo retrovisor podía ver la puerta de la casa.

Desde la escalerilla, antes de entrar al avión, Sebastián dio un último adiós a nadie que lo despedía. El aeropuerto yacía impasible, con algunos brazos que saludaban. La tristeza apretó su garganta. La puerta se cerró, los motores arrancaron y el avión empezó a moverse por la pista. Recordó que nunca había montado en avión, no tenía por qué. Dicen que uno se emociona ante una prime-

ra experiencia. Él no sintió nada. No quería irse, no visualizaba a donde, pero tenía que huir. Los motores aceleraron al final de la pista, por largo tiempo anduvieron sin que nada pasara, hasta que al final, unos ruidos extraños, seguidos de una calma, le anunciaron el despegue.

Desde el retrovisor, dos ojos fríos enmarcados por un pasamontañas negro, vigilaban a Molina. Éste salió de la casa poniéndose la gorra y ajustándose el cinturón con la pistolita. Dijo algo obsceno al guardia de la puerta, rieron. El portón abierto dejaba ver mejor como Molina se sentaba, detrás de su barriga, en el jeep. Sobre el asiento del pasajero había una cajita de metal, intrigado la abrió: dentro de una bolsa de tela estaba una pistola Makarov. Comprendió, pero era tarde. Boris sacó un detonador de la mochila que parpadeaba una pequeña luz roja. Apretó el botón: la lucecita cambió a verde, y el carro de Molina desapareció en una burbuja de fuego y ruido.

Sebastián, como espectador de una película, vio empequeñecer los edificios primero, las calles después, la ciudad toda.

El jeep ruso de Boris recorría las calles sin rumbo.

Reclinó el asiento. *Pronto el zumbido en los oídos se transformó en dolor. Se sumergió en el silencio. Silencio de ruptura. Estaba sin las vendas de la mortaja. Desnudo, con la cicatriz en el vientre. Dio unos pasos a pesar de los músculos secos. Estaba iluminado tenuemente por la luz de los ciegos: no había nada. Transcurrieron años antes que las piedras dejaran transpirar el sonido de voces; lejanas al principio.*

Su curiosidad desintegró una gigantesca piedra. Vio cómo se acercaba una procesión de familiares que venían con el alimento para sus muertos. Era el ritual; en vasijas de barro, las depositaron al pie de la pirámide. Dieron cinco vueltas alrededor hasta que cayó la tarde; se alejaron con los ojos húmedos.

Un niño se apartó del grupo y regresó; traía una flor en la mano. Depositó el lirio azul-mar sobre las ofrendas; levantó la mirada, quizás lo vio, y se unió al grupo.

Sin pensarlo se deslizó por la superficie de la pirámide como una serpiente entre las piedras, fijándose obsesivamente en la flor hasta que la tomó y aspiró su perfume.

A lo lejos, desde la procesión, el niño le sonrió.

Miami, 18 de abril de 2009

NOTA

El 18 de abril de 1961 fusilaron en la Fortaleza de la Cabaña, La Habana, Cuba, a:

Carlos Rodríguez Cabo

Efrén Rodríguez López

Virgilio Capanería Angel

Alberto Tapia Ruano Eligio de la Puente

Filiberto Rodríguez Ravelo

Lázaro Reyes Benítez

José Rodríguez Borges

Carlos Calvo

REVOLUCION

Año IV · La Habana, Martes, 18 de Abril de 1961
· 5 Centavos · Director: Carlos Franqui · No. 727

Listos los país para prestar

LONDRES, martes 18.—La agencia soviética Tass dijo hoy que la Unión Soviética y sus aliados están listos a ayudar a los cubanos en su lucha contra los agresores imperialistas.

"La Unión de Repúblicas Socialistas Soviéticas y otras naciones socialistas, es decir todas las naciones amantes de la paz que son más decididos amigos, están listas a dar al pueblo cubano su ayuda y apoyo", dijo Tass.

Tass hizo, un llamamiento a las Naciones Unidas para "detener inmediatamente la agresión".

"Los tahures del campo imperialista deberían recordar que Cuba no está sola", dijo Tass en un comentario radial escuchado en Londres.

Tass afirmó que las autoridades de los Estados Unidos —y por implicación el mismo presidente Kennedy— han fraguado los ataques contra Cuba.

"Lo que salta a la vista", dijo, "es que el bombardeo de ciudades cubanas por aviones con base en territorio de los Estados Unidos, y la actual invasión a Cuba, se realizaron solo unos pocos días después de que el Presidente norteamericano dio seguridades en una conferencia de prensa de que los Estados Unidos no permitirían que se realizara un ataque a Cuba desde su territorio.

"No obstante, es claro para todo el mundo que nadie hubiera podido organizar y llevar a cabo tales operaciones agresivas sin el conocimiento, aprobación y cooperación activa de las autoridades norteamericanas".

"Cuba tiene muchos amigos, no solo en el Hemisferio Occidental", declaró el comentador de Tass. "Tiene a su lado a toda la humanidad progresista".

"El movimiento de solidaridad con el pueblo de Cuba seguramente llegará a tener el más amplio alcance internacional".

"La opinión pública mundial está irritada por la descarada agresión contra Cuba y está lista a ir en ayuda del pueblo cubano.

"No toquen a Cuba —esta es la exigencia de toda la gente honrada".

CORREN GRAVISIMO RIESGO LA PAZ Y SEGURIDAD MUNDIAL

Hay gobierno todos los pu la causa de

NACIONES UNIDAS abril 18. (PL).—"Ya el solemnemente al gobierno de Estados Unidos, ante la sión política y de agresión contra Cuba antes da su invasión para fábricas y transportes irsería a su aprobación por parte del informe norteamericano", hoy ante esa comisión de la ONU el canciller Raúl Roa.

"La paz y la seguridad internacionales agregan previsto riesgo afronta una cuestión de La ONU en su tiempo". Añadió que "la del...

FUSILAN 8 TRAIDORES

En las primeras horas de la madrugada de hoy fueron cumplidas ocho sanciones de pena de muerte dictadas por el Tribunal Revolucionario del Distrito de La Habana y ratificadas por el Tribunal de Apelaciones.

Los contrarrevolucionarios ejecutados, fueron Carlos A. Rodríguez Cabó, alias El Gallego y Efrén Rodríguez López, en Causa 135/61, por los Delitos Contra la Estabilidad e Integridad de la Nación, Contra los Poderes del Estado y Estragos.

Virgilio Campanería Angel y Alberto de Tapia Ruano y de la Puente, en Causa 136/61, por Delitos Contra los Poderes del Estado y Tenencia de Explosivos.

Lázaro Reyes Benítez, en Causa 142/61, por Delito de Tenencia de Materiales Inflamables.

Filiberto Rodríguez Rávelo, en Causa 143/61, por Estragos.

José R. Rodríguez Borges, en Causa 159/61 por Estragos y Carlos M. Calvo Martínez, en Causa 165/61, por Estragos.

derechos y pió propia, ión Política

del presidente inador votará concedida de intervención y defendería libre determinación se el presidente

FUSILAN TRAIDOR

En las primeras de la madrugada de fueron cumplidas ocho sanciones de pena de muerte dictadas por el Tribunal Revolucionario del Distrito de La Habana y ratificadas por el Tribunal de Apelaciones.

Los contrarrevolucionarios ejecutados, fueron Carlos A. Rodríguez, alias El Gallego y Rodríguez López, en Causa 135/61, por los Delitos Contra la Estabilidad e Integridad de la Nación, Contra los Poderes del Estado y Estragos.

Virgilio Campanería Angel y Alberto de Tapia Ruano y de la Puente, en Causa 136/61, por Delitos Contra los Poderes del Estado y Tenencia de Explosivos.

Lázaro Reyes Benítez, en Causa 142/61, por Delito de Tenencia de Materiales Inflamables.

Filiberto Rodríguez Rávelo, en Causa 143/61, por Estragos.

José R. Rodríguez Borges, en Causa 159/61, por Estragos y Carlos M. Calvo Martínez, en Causa 165/61, por Estragos.

AL PUEBLO DE CUBA

El Gobierno Revolucionario pone en conocimiento del pueblo que las fuerzas armadas de la Revolución continúan luchando heroicamente frente a las fuerzas enemigas en la zona del noroeste de la provincia de Las Villas, donde han desembarcado los mercenarios con el apoyo imperialista.

En las próximas horas se darán detalles al pueblo de los éxitos obtenidos por el Ejército Rebelde, la fuerza aérea revolucionaria y las Milicias Nacionales Revolucionarias en la defensa sagrada de la soberanía de nuestra patria y la conquista de la Revolución.

FIDEL CASTRO RUZ
Comandante en Jefe
Primer Ministro del Gobierno Revolucionario

AL PUEBLO DE CUBA

El Gobierno Revolucionario pone en conocimiento del pueblo que las fuerzas armadas de la Revolución continúan luchando heroicamente frente a las fuerzas enemigas en la zona del noroeste de la provincia de Las Villas, donde han desembarcado los mercenarios con el apoyo imperialista.

En las próximas horas se darán detalles al pueblo de los éxitos obtenidos por el Ejército Rebelde, la fuerza aérea revolucionaria y las Milicias Nacionales Revolucionarias en la defensa sagrada de la soberanía de nuestra patria y la conquista de la Revolución.

FIDEL CASTRO RUZ
Comandante en Jefe
Primer Ministro del Gobierno Revolucionario

Exhorta CTC Revolucionaria

Reproducción de la primera plana del periódico Revolución del 18 de abril de 1961 con ampliaciones superpuestas de dos noticias.